Nujeen

NUJEEN MUSTAFA
et
CHRISTINA LAMB

Nujeen

L'incroyable périple

Traduction de l'anglais (Royaume-Uni) par
FABIENNE GONDRAND

HarperCollins

Titre original :
NUJEEN

Ce livre est publié avec l'aimable autorisation de HarperCollins Publishers, Limited, UK.

© 2016, Christina Lamb et Nujeen Mustafa.
© 2016, HarperCollins France pour la traduction française.

Sauf mention contraire, toutes les photographies appartiennent à la famille Mustafa.
Carte réalisée par Martin Brown et traduite par Fabienne Gondrand.

En couverture : photo de Nujeen © Chris Floyd
Réalisation graphique couverture : DPCOM
Mise en pages : Anne Krawczyk
Tous droits réservés.

HARPERCOLLINS FRANCE
83-85, boulevard Vincent-Auriol, 75646 PARIS CEDEX 13
Tél. : 01 42 16 63 63
www.harpercollins.fr

ISBN : 979-1-0339-0012-2

Le trajet de Nujeen

APATIN ○

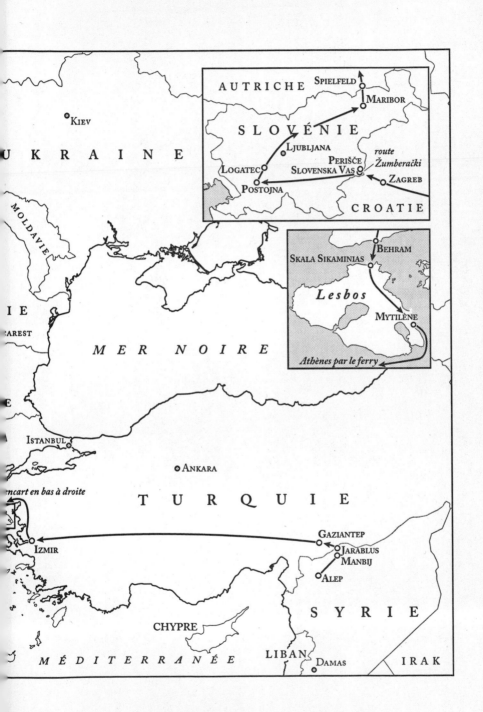

« Je vois la Terre ! C'est magnifique. »

YOURI GAGARINE,
premier homme dans l'espace, 1961

Sommaire

Prologue

La traversée

Depuis la plage on pouvait voir l'île de Lesbos, et l'Europe. La mer s'étendait de chaque côté à perte de vue, elle n'était pas agitée, mais calme, tachetée çà et là de minuscules moutons qui donnaient l'impression de danser sur les vagues. L'île sortait des eaux comme un pain de cailloux, et ne semblait pas trop éloignée. Mais les petits canots pneumatiques de couleur grise avançaient au ras de l'eau, alourdis par le maximum de passagers que les passeurs parvenaient à y entasser.

C'était la première fois que je voyais la mer. La première fois pour tout : que je prenais l'avion, le train, que je quittais mes parents, que j'allais à l'hôtel, et à présent à bord d'un bateau ! A Alep, je n'avais quasiment jamais quitté notre appartement au cinquième étage.

Ceux qui étaient déjà partis nous avaient dit que par une belle journée d'été comme aujourd'hui, avec un moteur en bon état, il fallait un peu plus d'une heure pour traverser le détroit en canot pneumatique. C'était un des points les plus proches entre la Turquie et la Grèce : tout juste douze kilomètres. Mais souvent les vieux moteurs, de mauvaise qualité, étaient mis à rude épreuve par des charges de cinquante à soixante personnes, et la traversée prenait alors trois ou quatre heures. Par une nuit pluvieuse, lorsque les vagues atteignent jusqu'à trois mètres de haut et secouent les bateaux comme des jouets, il arrive parfois que les passagers ne s'en sortent pas et que les espoirs sombrent dans un cercueil d'eau.

La plage n'était pas aussi sablonneuse que je l'avais imaginée, mais couverte de galets, impraticable avec mon fauteuil roulant. Une boîte en carton déchirée frappée de l'inscription « Canot gonflable. Fabriqué en Chine (capacité : maximum 15 pers.) » nous indiqua que nous étions au bon endroit, ainsi qu'une traînée d'affaires abandonnées le long du rivage comme autant de débris échouant dans le sillage des réfugiés. Il y avait là des brosses à dents, des couches et des emballages de gâteaux, des sacs à dos et un tas de vêtements et de chaussures ; des jeans et des T-shirts, balancés là parce qu'il n'y avait pas de place dans le bateau et que les passeurs obligent à voyager le plus léger possible ; une paire de mules grises à talons hauts et pompons noirs (un article insensé pour un tel voyage) ; une minuscule sandale d'enfant décorée d'une rose en plastique ; des baskets lumineuses de garçon ; et un gros ours en peluche gris auquel il manquait un œil et dont quelqu'un avait dû avoir bien du mal à se séparer. Tout cet amoncellement donnait à l'endroit des airs de décharge, ce qui me rendait triste.

Le minibus des passeurs nous avait déposés sur la route de corniche, après quoi nous avions passé la nuit dans les oliveraies. De là, nous avions dû descendre la colline jusqu'à la côte, à environ un kilomètre et demi. Ça peut sembler peu, mais ça fait beaucoup pour un fauteuil roulant sur une piste cahoteuse, sachant que seule ma sœur le poussait sous le soleil de plomb qui cognait sur la Turquie et faisait couler la transpiration dans nos yeux. Il existait une route bien plus praticable qui descendait de la colline en zigzag mais, en l'empruntant, on risquait de se faire arrêter par la gendarmerie turque qui nous mettrait dans un centre de détention, ou nous renverrait.

J'étais avec deux de mes quatre sœurs aînées : Nahda, mais elle devait s'occuper de son bébé et de ses trois fillettes ; et ma sœur la plus proche, Nasrine, qui prend toujours soin de moi et qui est aussi belle que son nom, celui des roses blanches qui poussent sur les collines du Kurdistan. Avec nous, il y avait aussi des cousins dont les parents (ma tante et mon oncle) avaient été abattus par des snipers de Daesh en juin alors qu'ils se rendaient à un enterrement à Kobané. Je ne veux pas repenser à cette journée.

Le chemin était accidenté et, à mon grand agacement, ma sœur me tirait à reculons, de sorte que je ne parvenais qu'à entrapercevoir la mer. Elle m'apparaissait alors d'un bleu étincelant. Le bleu est ma couleur préférée car c'est celle de la planète de Dieu. Nous étions tous fébriles. Le fauteuil était trop grand pour moi et j'agrippais les côtés si fort que mes bras me faisaient mal et que mes fesses étaient meurtries par toutes les secousses. Mais je n'ai pas dit un mot.

Comme à chaque fois qu'on passait quelque part, j'ai raconté à mes sœurs les bribes d'histoire locale que j'avais glanées avant de partir. Je trouvais merveilleux qu'au sommet de la colline qui nous surplombait se dresse la cité antique d'Assos — avec son temple en ruines dédié à la déesse Athéna. Mieux encore, c'était l'endroit où

Aristote avait vécu. Il avait fondé une école de philosophie surplombant la mer pour observer les marées et mettre en cause la théorie de son ancien maître, Platon, selon laquelle les marées étaient des turbulences engendrées par les fleuves. Puis les Perses avaient attaqué la cité, faisant fuir les philosophes, et Aristote, parti en Macédoine, était devenu le précepteur du jeune Alexandre le Grand. L'apôtre saint Paul était lui aussi passé par ici en ralliant Lesbos depuis la Syrie. Mais, comme toujours, mes sœurs n'étaient pas très intéressées.

Alors j'ai renoncé à les instruire. A la place, j'ai contemplé les mouettes qui s'amusaient bruyamment dans les courants ascendants en accomplissant des cercles tout au fond du bleu du ciel sans jamais flancher. J'aurais tant aimé voler moi aussi. Même les astronautes n'ont pas cette liberté.

Nasrine n'arrêtait pas de jeter un œil au smartphone de la marque Samsung que notre frère Mustafa nous avait acheté pour le voyage afin de s'assurer qu'on suivait bien les coordonnées Google Maps que nous avait données le passeur. Malgré cela, une fois sur le rivage, nous n'étions pas arrivés au bon endroit. Chaque passeur a son propre « point » — nous avions des bandes de tissu de couleur nouées au poignet pour nous identifier. Et on était au mauvais endroit.

Notre point de rencontre n'était pas très éloigné sur la plage mais, une fois au bout, une falaise à pic nous bloquait le passage. Le seul moyen de la contourner était à la nage, et à l'évidence cela nous était impossible. Alors il a fallu monter puis descendre une autre colline escarpée pour arriver à destination. Ces montagnes étaient un véritable enfer. Un seul faux pas, et c'était le plongeon mortel dans la mer. Les chemins étaient tellement difficiles qu'il était impossible de pousser ou de tirer mon fauteuil roulant sur les cailloux. Alors il fallait me porter, et mes cousins me taquinaient : « Tu es la reine, la reine Nujeen ! »

A notre arrivée sur la bonne plage, le soleil se couchait dans une explosion de rose et de violet comme si une de mes petites nièces barbouillait le ciel au crayon pastel. Le tintement léger des clochettes des chèvres me parvenait depuis le sommet des collines.

Nous avons passé la nuit dans l'oliveraie. Le soleil disparu, les températures ont brusquement chuté. Le sol rocailleux était dur, même après que Nasrine avait étalé autour de moi tous nos vêtements. J'étais tellement épuisée, n'ayant jamais passé autant de temps à l'extérieur de toute ma vie, que j'ai dormi la majeure partie de la nuit. On ne pouvait pas faire de feu, de peur d'attirer la police. Certaines personnes ont utilisé des morceaux de carton des canots pour se couvrir. On aurait dit un de ces films où un groupe part en camping et où il se passe des choses horribles.

Le petit déjeuner se composait de morceaux de sucre et de Nutella, ce qui en soi a l'air génial, mais en réalité est vraiment nul quand il n'y a rien d'autre. Les passeurs avaient promis un départ de bonne heure et, à l'aube, nous étions tous prêts sur la plage dans nos gilets de sauvetage. Nos téléphones étaient emballés dans des ballons gonflables pour les protéger pendant la traversée, astuce qu'on nous avait montrée à Izmir.

Plusieurs autres groupes attendaient. Nous avions payé 1 500 dollars chacun au lieu du tarif habituel de 1 000 dollars pour avoir un canot pour notre famille, mais on a compris que d'autres passagers utiliseraient notre embarcation. Nous serions trente-huit en tout : vingt-sept adultes et onze enfants. Maintenant que nous étions ici, il n'y avait plus rien à faire : impossible de rebrousser chemin, et on disait que les passeurs usaient de couteaux et d'aiguillons électriques pour le bétail contre ceux qui changeaient d'avis.

Il n'y avait pas un nuage dans le ciel, et de près je voyais bien que la mer n'était pas d'une seule couleur, du bleu uniforme des images et de mon imagination. Elle était turquoise clair le long du littoral, puis d'un bleu plus foncé virant au gris, et enfin d'un bleu indigo à l'approche de l'île. Je connaissais la mer uniquement grâce à National Geographic et j'avais l'impression d'être dans un documentaire. J'étais tellement surexcitée que je ne comprenais pas pourquoi tout le monde était tendu. Pour moi c'était une aventure hors du commun !

Des enfants couraient sur la plage en ramassant des galets de toutes les couleurs. Un petit garçon afghan m'en a donné un, plat et gris, sillonné par une veine de marbre blanc, de la forme d'une colombe. Il était froid au toucher et poli par la mer. Ce n'est pas toujours facile pour moi de tenir des objets avec mes doigts maladroits, mais pour rien au monde je ne l'aurais lâché.

Il y avait des gens comme nous venus de Syrie, d'autres d'Irak, du Maroc et d'Afghanistan qui parlaient une langue qui nous était inconnue. Certaines personnes échangeaient des histoires, mais la plupart ne disaient pas grand-chose. C'était inutile. Laisser derrière soi tout ce que l'on connaît et tout ce qu'on a construit dans son propre pays pour entreprendre ce périple à l'issue incertaine en disait suffisamment long.

Les premiers bateaux ont pris la mer en tout début de journée. Deux d'entres eux filaient plus ou moins droit, mais deux autres partaient dans tous les sens. Les canots n'avaient pas de pilote : les passeurs laissaient traverser un des réfugiés à moitié prix ou gratuitement s'il pilotait, quand bien même personne n'avait la moindre expérience. « C'est comme de conduire une moto », affirmaient-ils. C'est mon oncle Ahmed qui conduirait notre canot. Etant donné que nous n'avions jamais été à la mer et que son ancien travail consistait à gérer une boutique de téléphonie mobile, j'imagine qu'il n'avait jamais fait ça, mais il nous a assuré qu'il savait comment s'y prendre.

Nous avions entendu dire que certains réfugiés poussent le bateau à fond pour rallier les eaux grecques à mi-chemin le plus vite possible, et finissent par griller le moteur. Parfois les canots n'ont pas assez de carburant. Dans ce cas, les garde-côtes turcs vous interceptent et vous ramènent. Au café Sinbad à Izmir, on a rencontré une famille d'Alep qui a essayé de traverser six fois. Nous n'avions pas l'argent pour retenter notre chance.

Vers 9 heures, oncle Ahmed a appelé le passeur ; ce dernier a dit que nous devions attendre que le garde-côte s'en aille. « Nous n'avons pas choisi le bon passeur », a commenté Nasrine. Je craignais qu'on nous ait encore escroqués. Nous ne pensions pas rester ici aussi longtemps et bientôt nous avons eu faim et soif, ce qui ne manquait pas d'ironie face à cette étendue d'eau. Mes cousins ont essayé de trouver à boire pour moi et pour les enfants, mais il n'y avait rien à proximité.

Il faisait de plus en plus chaud. Même s'il était arrivé avec les canots pour nous et pour les autres groupes, le passeur disait qu'on ne pouvait pas y aller tant que les garde-côtes ne changeaient pas de quart. Personne ne venait nous chercher. Les Marocains, à moitié nus, ont commencé à chanter. L'après-midi est arrivé, les vagues ont commencé à monter et à s'abattre sur le rivage en clapotant. Aucun d'entre nous n'avait envie de traverser de nuit. Nous avions tous entendu des histoires sur des espèces de pirates qui abordaient les embarcations en jet-ski dans le noir pour dérober les moteurs et les objets de valeur des réfugiés.

Enfin, aux alentours de 17 heures, on nous a annoncé la relève de la garde, donc on pouvait en profiter pour partir. J'ai de nouveau contemplé la mer. Le brouillard commençait à descendre et les cris des mouettes n'avaient plus rien de joyeux. Une ombre noire s'était abattue sur l'île rocailleuse. Certains appellent cette traversée « *rihlat al moot* » : la route de la mort. Elle allait soit nous mener en Europe, soit nous engloutir. Pour la première fois j'avais peur.

A la maison, je regardais souvent une série intitulée *Brain Games* sur National Geographic, qui montrait comment les sentiments de peur et de panique sont contrôlés par le cerveau ; alors je me suis efforcée de respirer profondément en me répétant en boucle que j'étais forte.

PARTIE I

Perdre un pays

Syrie, 1999-2014

« Il ne faut cependant jamais oublier que les migrants,
avant d'être des numéros, sont des personnes »

PAPE FRANÇOIS, Lesbos, 16 avril 2016

1

Etrangers sur notre propre terre

Je ne fais pas la collection des timbres, des pièces de monnaie ou des vignettes de football : je collectionne les faits. Plus que tout j'aime les faits concernant la physique et l'espace, en particulier la théorie des cordes ; mais aussi ceux sur l'histoire et les dynasties, comme les Romanov ; et ceux sur les personnalités controversées, comme Howard Hughes et J. Edgar Hoover.

Mon frère Mustafa dit qu'il suffit que j'entende quelque chose une fois pour m'en souvenir avec exactitude. Je peux vous énumérer tous les Romanov depuis le tsar Michel Ier jusqu'à Nicolas II, qui a été assassiné avec toute sa famille, même sa plus jeune fille Anastasia, par les bolchéviques. Je peux vous dire précisément à quelle date la reine Elizabeth est devenue reine d'Angleterre (à la fois le jour du décès de son père et celui de son couronnement) et les dates de ses deux anniversaires, le réel et l'officiel. J'aimerais la rencontrer un jour et lui demander : « Ça fait quoi d'avoir la reine Victoria comme arrière-grand-mère ? » ; et aussi : « Ce n'est pas un peu bizarre quand tout le monde chante un hymne pour vous protéger ? »

Je peux aussi vous raconter que le seul animal qui ne produise aucun son est la girafe parce qu'elle n'a pas de cordes vocales. Autrefois, c'était un des faits que je préférais, et puis les gens ont commencé à surnommer notre dictateur Bachar el-Assad « la Girafe » à cause de son long cou.

A présent, voici un fait qui, à mon sens, ne devrait plaire à personne. Saviez-vous que dans le monde aujourd'hui un être humain sur cent treize est réfugié ou déplacé ? Beaucoup fuient les guerres, comme celle qui ravage la Syrie, notre pays, ou celles en Irak, en Afghanistan et en Libye. D'autres tentent d'échapper aux groupes terroristes au Pakistan et en Somalie ou aux persécutions des régimes des mollahs en Iran et en Egypte. Puis il y a ceux qui fuient la dictature en Gambie, la conscription forcée en Erythrée, la faim et la pauvreté dans des pays d'Afrique que je n'ai même jamais vus sur une carte. A la télé, les reporters répètent sans cesse que les mouvements de population depuis le Moyen-Orient, l'Afrique du Nord et l'Asie centrale en direction de l'Europe constituent la plus grande crise de réfugiés depuis la Seconde Guerre mondiale. En 2015, ils ont été plus de 1,2 million à se rendre en Europe. J'étais l'une d'eux.

Je déteste le mot « *refugee* » plus que n'importe quel mot de la langue anglaise. En allemand, « *Flüchtling* » est tout aussi dur. Il renvoie en réalité à un citoyen de seconde zone avec un numéro griffonné sur la main ou imprimé sur un bracelet, et dont tout le monde voudrait qu'il disparaisse. 2015 marque l'année où je suis devenue un fait, une statistique, un nombre. J'ai beau aimer les faits, nous ne sommes pas des nombres. Nous sommes des êtres humains et nous avons tous une histoire. Voici la mienne.

Je m'appelle Nujeen, ce qui veut dire « nouvelle vie », et je suppose qu'on peut dire que je suis arrivée sans prévenir. Ma mère et mon père avaient déjà quatre garçons et quatre filles et, quand je suis née le jour de l'An 1999, vingt-six années après mon frère aîné Shiar, certains étaient déjà mariés, la plus jeune, Nasrine, avait neuf ans, et tout le monde partait du principe que la famille était au complet. Ma mère a failli mourir en me mettant au monde, après quoi elle était si faible que Jamila, l'aînée de mes sœurs, s'est occupée de moi au point que je l'ai toujours considérée comme ma seconde mère. Au début la famille était contente d'avoir un bébé à la maison, et puis je me suis mise à pleurer sans arrêt. Le seul moyen de m'en empêcher était d'installer un magnétophone à côté de moi et de passer la musique de *Zorba le Grec*, ce qui rendait tout le monde presque aussi fou que mes pleurs.

Nous vivions au nord de la Syrie dans une sorte de ville du désert poussiéreuse et négligée du nom de Manbij, pas très loin de la frontière avec la Turquie et à environ 30 kilomètres de l'Euphrate et du barrage de Tichrine qui nous alimentait en électricité. Mon premier souvenir est le long bruissement de la robe de ma mère, un cafetan de couleur claire qui lui tombait à la cheville. Ses cheveux aussi étaient longs ; nous l'appelions « Ayee » et mon père, « Yaba », qui ne sont pas des mots en arabe. La première chose à savoir sur moi est que je suis kurde.

Dans notre rue, nous étions l'une des cinq familles kurdes d'une ville composée majoritairement d'Arabes ; ils étaient bédouins, mais ils nous méprisaient et surnommaient notre quartier la « Colline aux étrangers ». A l'école et dans les magasins nous étions obligés de parler leur langue et ce n'est qu'à la maison que nous pouvions parler le kurmandji, notre langue kurde. Ce qui était très dur pour mes parents qui ne parlaient pas arabe, puisqu'ils étaient de toute façon analphabètes, mais aussi pour mon frère aîné Shiar dont les autres enfants se moquaient à l'école parce qu'il ne maîtrisait pas l'arabe.

Manbij est un endroit assez rustique, et strict sur la question de l'islam. Mes frères devaient donc se rendre à la mosquée et, si Ayee voulait faire les boutiques au souk, il fallait qu'un de mes frères ou mon père l'accompagne. Nous sommes musulmans nous aussi, mais pas rigides comme ça. Au lycée, mes sœurs et mes cousines étaient les seules filles qui ne se couvraient pas la tête.

Notre famille avait quitté nos terres situées dans un village kurde au sud de Kobané à cause d'une vendetta avec un village voisin. Nous, Kurdes, sommes un peuple tribal et ma famille vient de la grande tribu de Bedirxan Beg, qui descend du célèbre chef de la résistance kurde Bedirxan Beg, ce qui semble vouloir dire que chaque Kurde ou presque est un cousin. Le village voisin était aussi issu de la même tribu, mais d'un autre clan. Le problème avec eux est intervenu bien avant ma naissance, mais nous connaissions tous l'histoire. Les deux villages avaient des moutons et un jour des jeunes bergers de l'autre village avaient amené leur troupeau paître sur notre herbe et il y avait donc eu une dispute avec nos garçons bergers. Peu de temps après, des membres de notre famille s'étaient rendus dans l'autre village pour un enterrement quand, en chemin, deux hommes de l'autre village leur avaient tiré dessus. Lorsque notre clan avait riposté, un de leurs hommes avait été tué. Ils ont juré vengeance et nous avons tous été contraints de fuir. C'est ainsi que nous avons atterri à Manbij.

Les gens ne connaissent pas grand-chose sur les Kurdes. Parfois j'ai l'impression que nous sommes totalement inconnus dans le reste du monde. Nous sommes un peuple fier, doté d'une langue, d'une cuisine, d'une culture propres et d'une longue histoire qui remonte à deux mille ans, lorsque les Kurtis ont laissé leurs premières traces. Nous représentons peut-être 30 millions de personnes, mais nous n'avons jamais eu notre propre pays : en réalité, nous sommes la plus grande tribu apatride au monde. Lorsque les Britanniques et les Français ont divisé l'Empire ottoman vaincu après la Première Guerre mondiale, nous avons espéré obtenir notre patrie à nous, au même titre que les Arabes pensaient décrocher leur indépendance comme promis après la révolution arabe. En 1920, les puissances alliées ont même signé un accord, appelé Traité de Sèvres, qui reconnaissait un Kurdistan autonome.

Mais le nouveau chef turc Kemal Atatürk, qui avait mené son pays à l'indépendance, a rejeté le traité, après quoi on a trouvé du pétrole à Mossoul — qui aurait donc été au Kurdistan —, et le traité n'a jamais été ratifié. En réalité, deux diplomates, le Britannique Mark Sykes et le Français François Georges-Picot, avaient déjà signé un pacte secret en vue de répartir le Levant entre Français et Britanniques et de tracer leur tristement célèbre ligne dans le sable, de Kirkouk en Irak à Haïfa en Israël, pour créer les Etats modernes d'Irak, de Syrie et du Liban — laissant les Arabes sous domination coloniale, entre des frontières qui ne se préoccupaient guère des réalités tribales et ethniques, et nous, Kurdes, dispersés entre quatre pays qui ne nous aiment pas.

Aujourd'hui, à peu près la moitié des Kurdes vivent en Turquie, certains en Irak, d'autres en Iran, et environ 2 millions en Syrie où nous représentons la plus grande minorité, aux alentours de 15 %. Bien que nos dialectes soient différents, je suis toujours capable de reconnaître un Kurde : d'abord par la langue, puis par l'apparence. Certains d'entre nous vivent dans des villes comme

Istanbul, Téhéran et Alep, mais la plupart habitent les montagnes et plateaux où se rejoignent la Turquie, la Syrie, l'Irak et l'Iran.

Nous sommes cernés d'ennemis. C'est pourquoi nous devons rester forts. Au XVIIᵉ siècle, notre grand Shakespeare kurde, Ahmedê Khanî, a écrit que nous sommes « [...] comme une citadelle / Ces Turcs, ces Persans les assiègent des quatre côtés à la fois. / Et les deux camps font du peuple kurde / Une cible pour la flèche du destin. »[1] Yaba pense qu'un jour il y aura un Kurdistan, peut-être de mon vivant. « Celui qui a une histoire a un avenir », dit-il toujours.

Le plus curieux est que plusieurs des célèbres héros « arabes » sont kurdes et que personne ne veut l'admettre. Tel Saladin, qui a repoussé les croisés et chassé les Européens de Jérusalem. Ou Youssef al-Azmeh, qui a dirigé les forces syriennes contre l'occupation française en 1920 et est mort au combat. Il existe un immense tableau de Saladin et de ses armées arabes dans la salle de réception du palais d'Assad. D'innombrables places et statues portent le nom de Youssef al-Azmeh. Mais personne ne dit qu'ils sont kurdes.

Au lieu de ça, le régime syrien nous traite de *ajanib* ou « étrangers » quand bien même nous vivions déjà ici avant les croisades. De nombreux Kurdes en Syrie n'ont pas de carte d'identité et, sans ces cartes orange, il est impossible d'accéder à la propriété, à des postes de fonctionnaires, de voter aux élections ou d'envoyer ses enfants au lycée.

A mon avis, la Turquie est l'endroit le plus difficile à vivre pour un Kurde. Atatürk avait lancé une campagne de turquisation, mais les Kurdes ne sont même pas reconnus en tant que peuple et sont qualifiés de « Turcs des montagnes ». Notre famille habite des deux côtés de la frontière et une de mes tantes qui vivait en Turquie nous a raconté qu'elle ne pouvait même pas donner un prénom kurde à son fils. Elle a dû l'appeler Orhan, qui est turc. Nasrine, qui lui a rendu visite, nous a rapporté qu'ils ne parlaient pas kurde entre eux et éteignaient la radio dès qu'elle passait de la musique kurde.

Voici un autre fait sur les Kurdes. Nous avons notre propre alphabet, que la Turquie ne reconnaît pas et, jusqu'à très récemment, l'utilisation des lettres *q, w* et *x*, qui n'existent pas dans la langue turque, était passible d'arrestation. Imaginez un peu aller en prison pour une consonne !

Nous avons un adage : « Les Kurdes n'ont pas d'amis, sauf les montagnes. » Nous aimons les montagnes et nous pensons être les descendants d'enfants cachés là-haut pour échapper à Dehak, un géant malfaisant aux deux serpents surgissant de ses épaules, qui exigeaient de se nourrir chaque jour du cerveau d'un garçon. Un forgeron astucieux du nom de Kawa, qui en avait assez de perdre ses fils, a commencé à donner aux serpents des cervelles de moutons et à cacher les garçons jusqu'à en avoir toute une armée pour occire le géant.

Les Kurdes ensemble ont toujours des histoires à raconter. La plus célèbre est celle des Roméo et Juliette kurdes intitulée *Mem et Zîn*. Une île est gouvernée par un prince qui a deux sœurs magnifiques qu'il garde enfermées. L'une d'elle s'appelle Zîn. Un jour, Zîn et sa sœur s'évadent pour se rendre à une fête déguisées en hommes. Là, elles font la connaissance de deux beaux mousquetaires, dont l'un s'appelle Mem. Les deux couples de sœurs et de mousquetaires tombent amoureux et il se passe tout un tas de choses, mais en gros Mem est emprisonné puis tué, et Zîn meurt de tristesse sur la tombe de son amant. Même après la mort un arbuste épineux pousse entre eux pour les séparer. L'histoire commence par ces mots : « [...] Toujours désunis, en discorde, ils n'obéissent pas l'un à l'autre / Si nous nous unissions, ce Turc, cet Arabe et ce Persan seraient nos serviteurs »[2], et nombreux sont les Kurdes qui affirment qu'ils parlent de notre lutte pour avoir une patrie. Mem représente le peuple kurde et Zîn le pays kurde, séparés par des circonstances malheureuses. Certains croient qu'il s'agit d'une histoire vraie, et il existe même une tombe que l'on peut visiter.

J'ai grandi avec cette histoire mais je ne l'aime pas vraiment : elle traîne en longueur et je ne la trouve pas réaliste pour un sou. A dire vrai je préférais *La Belle et la Bête* parce que le principe est bon : aimer une personne pour ce qu'elle est à l'intérieur et pas à l'extérieur.

Avant d'être fatigué et vieux et d'arrêter de travailler pour passer tout son temps à fumer et à ronchonner sur ses fils qui n'allaient pas à la mosquée, mon père Yaba faisait le commerce des moutons et des chèvres. Il avait environ 25 hectares de terre où il élevait moutons et chèvres, comme son père avant lui et en remontant jusqu'à mon septième grand-père qui avait des chameaux et des moutons.

Mes frères et sœurs aînés racontent que, lorsqu'il a commencé, il achetait une seule chèvre par semaine au marché du samedi, puis la vendait ailleurs la semaine suivante avec un léger bénéfice et qu'avec le temps il a eu un troupeau d'environ 200 têtes. Le commerce des moutons ne devait pas beaucoup rapporter parce que notre maison n'avait que deux pièces et une cour avec une petite cuisine, ce qui était exigu pour tant de personnes. Mais mon frère aîné, Shiar, envoyait de l'argent, et nous avons construit une autre pièce où Ayee rangeait sa machine à coudre avec laquelle je jouais quand personne ne regardait. C'est là que je dormais quand nous n'avions pas d'invités.

Shiar vit en Allemagne, il est réalisateur et il a tourné un film intitulé *Walking* sur un vieux bonhomme fou qui passe son temps à marcher dans un village kurde du sud de la Turquie : il se lie d'amitié avec un garçon pauvre qui vend des chewing-gums ; c'est alors que leur quartier tombe sous contrôle militaire. Le film a soulevé un tollé en Turquie parce que le vieux Kurde gifle un officier de l'armée turque, et certains se sont plaints qu'on ne pouvait pas montrer ça. Comme s'ils ne faisaient pas la différence entre un film et la vraie vie.

Je n'avais jamais rencontré Shiar, puisqu'il a quitté la Syrie en 1990 à l'âge de dix-sept ans, bien avant ma naissance, pour éviter d'être enrôlé et envoyé au combat pendant la guerre du Golfe en Irak. En ce temps-là, nous étions amis avec les Américains. La Syrie ne voulait pas que nous autres Kurdes fréquentions ses universités ou occupions des postes de fonctionnaires, mais tenait à ce que l'on se batte dans son armée et rejoigne le parti Baas. Chaque écolier était censé s'engager, mais Shiar avait réussi à s'enfuir sur le chemin qui les emmenait, lui et un autre garçon, au service d'enrôlement. Il avait toujours rêvé de devenir réalisateur de cinéma, ce qui est étrange étant donné que, lorsqu'il était petit, notre maison à Manbij n'avait pas la télé, seulement une radio, car les religieux désapprouvaient. A douze ans, il avait sa propre série radiophonique avec des camarades de classe et ne ratait aucune occasion de regarder la télé chez les autres. Tant bien que mal, notre famille a réuni 4 500 dollars pour lui acheter un faux passeport iraquien à Damas,

et il est parti étudier à Moscou. Il a rapidement quitté
la Russie pour la Hollande où il a obtenu l'asile. Il n'y a
pas beaucoup de réalisateurs kurdes, alors il est célèbre
dans notre communauté, mais nous n'étions pas censés
mentionner son nom car le régime n'aime pas ses films.

Notre arbre généalogique, qui ne mentionne que les
hommes, ne montrait pas Shiar au cas où quelqu'un nous
cause des ennuis en le reliant à nous. Je ne comprenais
pas pourquoi les femmes n'y figuraient pas. Ayee était
analphabète : elle avait épousé mon père à treize ans, ce
qui veut dire qu'à mon âge elle était déjà mariée depuis
quatre ans et avait un fils. Mais elle confectionnait tous
nos vêtements et elle peut montrer n'importe quel pays
du monde sur la carte et se souvient systématiquement du
chemin pour rentrer, où qu'elle se trouve. Et elle est forte
en calcul mental, de sorte qu'elle sait si les marchands au
souk essaient de l'arnaquer. Dans la famille tout le monde
est fort en maths à part moi. Mon grand-père du côté
de ma mère avait appris à lire en prison : les Français
l'avaient arrêté parce qu'il possédait une arme à feu et il
avait partagé sa cellule avec un homme cultivé qui lui avait
appris à lire. C'est pour cette raison qu'Ayee voulait que
nous ayons de l'instruction. L'aînée, Jamila, avait quitté
l'école à douze ans pour tenir la maison car, dans notre
tribu, les filles ne sont pas censées être instruites. Mais,
après elle, toutes mes autres sœurs — Nahda, Nahra
et Nasrine — ont été scolarisées au même titre que les
garçons Shiar, Farhad, Mustafa et Bland. « Un lion est
un lion, il n'y a pas de mâle ou de femelle », assure un
vieil adage kurde. Yaba disait qu'elles pouvaient rester à
l'école tant qu'elles réussissaient leurs examens.

Chaque matin, je m'asseyais sur les marches pour les
regarder partir, balançant leurs cartables et bavardant

avec leurs amis. Ces marches étaient mon endroit préféré pour jouer avec la boue et regarder le va-et-vient des gens. Mais, surtout, j'attendais une personne en particulier : le vendeur de *salep*. Si vous ne connaissez pas, le *salep* est une sorte de smoothie à base de lait épaissi avec de la poudre de racines d'orchidée des montagnes, parfumé à l'eau de rose ou à la cannelle et servi à la louche dans des gobelets sur un petit chariot en aluminium. C'est un délice. Je savais toujours quand le vendeur de *salep* approchait parce que son radiocassette diffusait des vers du Coran et non pas de la musique comme les autres marchands ambulants.

Une fois qu'ils étaient tous partis je me sentais seule, avec Yaba qui fumait et faisait claquer son *komboloï* s'il n'allait pas voir ses moutons. Sur la partie droite de la maison, entre nous et nos voisins, qui étaient mon oncle et mes cousins, se dressait un grand cyprès sombre et effrayant. Et sur notre toit traînaient toujours des chats et des chiens errants qui me faisaient trembler parce que s'ils me prenaient en chasse je ne pourrais pas m'enfuir. Je n'aime pas les chiens, les chats ni tout ce qui se déplace rapidement. Il y avait une famille de chats blancs à taches orange qui crachaient sur tous ceux qui les approchaient. Je les détestais.

J'appréciais notre toit uniquement par les nuits chaudes d'été quand nous y dormions, enveloppés dans l'obscurité comme par un gant tandis qu'une brise fraîche soufflait depuis le vide du désert. J'adorais m'allonger sur le dos et contempler les étoiles, si nombreuses, si loin, qui s'étendaient dans l'au-delà comme un sentier étincelant. C'est à ce moment-là que j'ai rêvé pour la première fois d'être astronaute. Parce que dans l'espace on flotte et que les jambes n'ont aucune importance.

D'ailleurs, chose curieuse, on ne peut pas pleurer dans l'espace. A cause de l'apesanteur, si on pleure comme sur Terre, les larmes ne tombent pas, mais s'agglomèrent dans les yeux et forment une boule liquide qui se répand sur le reste du visage comme une drôle de grosseur, alors faites attention.

2

Les remparts d'Alep

Alep, Syrie, 2003–2008

Les gens m'ont toujours regardée différemment. Mes sœurs sont si jolies, notamment Nasrine avec ses longs cheveux brillants couleur acajou et sa peau claire qui se couvre légèrement de taches de rousseur au soleil. Mais moi… eh bien, j'ai davantage l'air arabe, j'ai de grosses dents qui partent en avant, des yeux qui roulent dans tous les sens et finissent par loucher, et des lunettes qui tombent toujours de mon nez. Et ce n'est pas tout.

Peut-être parce qu'Ayee était un peu vieille quand elle m'a eue, à quarante-quatre ans, je suis née trop tôt : quarante jours, soit la durée, d'après les chrétiens, du jeûne de leur prophète Jésus dans le désert avant sa crucifixion. Mon cerveau n'a pas reçu suffisamment d'oxygène, ce qui a eu pour effet qu'en matière d'équilibre il n'envoie pas les bons signaux à mes jambes, qui font ce qu'elles veulent. Elles se soulèvent quand je parle, mes chevilles se replient vers l'intérieur, mes orteils pointent vers le bas, mes talons vers le haut, et je ne peux pas marcher. Comme si j'étais coincée à jamais sur la pointe des pieds. En plus, si je ne fais pas attention, la paume de mes mains et mes doigts sont convexes au lieu d'être concaves. En gros, mes extrémités sont comme des poissons porte-bonheur chinois qui se recroquevillent et qu'il est impossible de redresser.

Comme je ne marchais pas comme les autres enfants, mes parents m'ont amenée chez un docteur ; il a expliqué qu'il manquait un raccord dans mon cerveau, qui se mettrait en place d'ici à mes cinq ans et qu'alors je pourrais marcher du moment qu'ils me donnaient protéines et calcium en abondance. Ma mère m'a fait manger plein d'œufs, j'ai eu droit à des injections de vitamines, mais mes jambes n'ont rien voulu savoir. Nous avons consulté des tas de docteurs. Mon frère Shiar a appelé d'Allemagne pour donner le nom d'un spécialiste à Alep. Il m'a allongée dans une machine qui ressemblait à un cercueil en plastique pour passer une IRM. Après quoi il a dit que je souffrais de ce qu'on appelle un trouble de la marche et de l'équilibre, qui est une sorte de paralysie cérébrale. Je ne comprenais pas tous ces mots compliqués mais je voyais bien qu'ils faisaient peur à Ayee et à Yaba. Le docteur a précisé qu'il me faudrait une opération et de la rééducation.

En plus de ça, comme la ville de Manbij était délabrée et poussiéreuse, et peut-être à cause des meutes de chats et de chiens, j'avais un asthme carabiné et je sifflais souvent jusqu'à en devenir toute bleue. Ainsi, quand j'ai eu quatre ans, nous avons déménagé à Alep pour que je sois suivie médicalement et que ma sœur Nahda et mon frère Bland puissent aller à l'université. Nahda était si intelligente qu'elle était la première en tout à Manbij et la première fille de la famille à fréquenter l'université. Elle faisait des études de droit, et je me disais qu'elle deviendrait peut-être une avocate de renom.

Alep est un lieu hautement historique (certains disent que c'est la cité habitée la plus ancienne au monde) et, en Syrie, la plus grande ville — où l'on pouvait trouver de tout. Nous habitions dans un quartier kurde du nord-ouest appelé Sheikh Maqsoud, qui était situé en hauteur et surplombait toute la ville avec ses bâtiments de pierre pâle qui brillaient d'un rose d'amande dans le soleil de fin d'après-midi. Au milieu, sur une butte, se dresse une forteresse qui a surveillé Alep pendant peut-être un millénaire.

Notre nouveau domicile était un appartement au cinquième étage du numéro 19 de la rue George al-Aswad, ainsi nommée d'après un chrétien à qui appartenait la terre. Environ 10 % de notre population était chrétienne et le cimetière chrétien était tout proche. Je préférais cet endroit à Manbij parce qu'il n'y avait pas de chiens et de chats qui grattaient et hurlaient sur le toit, ni d'arbre sombre et effrayant dont je devais me cacher sous la couverture, et qu'il était plus grand avec ses quatre pièces, sa salle de bains et ses deux balcons d'où on pouvait contempler le spectacle du monde. Ma mère était bien plus heureuse d'être entourée de plein de Kurdes. Et, pour couronner le tout, une des pièces était un salon où l'on regardait la télé.

Mes frères Shiar et Farhad habitaient tous les deux à l'étranger. Quant à Mustafa, il dirigeait une entreprise à Manbij qui creusait des puits d'eau et qui marchait bien puisque nous vivions des périodes de sécheresse. Au début, toutes mes sœurs étaient avec nous à Alep, mais Jamila, Nahda et Nahra, l'une après l'autre, se sont mariées (j'ai pleuré à chaque fois !) Après le mariage de Jamila, quand les gens se sont arrêtés chez nous à Alep pour féliciter les jeunes mariés, je suis restée assise sur le canapé à fusiller du regard mon cousin Mohammad qu'elle épousait. Jamila avait peut-être un caractère qui allait et venait comme une bourrasque de vent, notamment quand quiconque tentait d'interférer avec les tâches ménagères, mais elle s'était occupée de chacun d'entre nous.

Après ça, il ne restait plus que moi, Bland et Nasrine. Bland dormait dans la pièce télé avec moi, Ayee, Yaba et Mustafa quand il n'était pas en déplacement. Nasrine avait une chambre minuscule pour elle toute seule.

Notre pâté de maisons comptait six étages mais celui au-dessus du nôtre était condamné, donc nous étions au dernier. Tous les autres habitants de l'immeuble étaient kurdes, mais de villes différentes. A notre étage, nos voisins avaient des enfants : quatre filles, Parwen, Nermin, Hemrin et Tallin, et un garçon, Kawa, le plus jeune. Je les adorais mais, à chaque fois qu'on jouait, j'avais l'impression d'être le maillon faible et ils s'enfuyaient souvent en riant pendant que j'essayais de me traîner derrière eux de ma drôle de démarche de lapin. Avec mes dents en avant et mes sauts au ras du sol je ressemblais à un lapin. Deux étages plus bas, une autre famille avait une tortue domestique que j'adorais tenir sur mes genoux quand les autres partaient en courant. Dans le monde des enfants je n'étais ni à l'aise ni bienvenue.

La télévision m'offrait un substitut au manque de divertissement. Je regardais tout, à commencer par les dessins animés et les DVD de Disney. Ma famille adorait le foot, que nous suivions ensemble. Puis à mes huit ans nous avons eu une antenne parabolique et j'ai regardé des documentaires sur l'histoire et les sciences. Et bien plus tard, quand nous avons eu un ordinateur, j'ai découvert Google et j'ai commencé à collectionner toutes les bribes d'informations possibles et imaginables. Merci, Serguei Brin, j'aimerais bien vous rencontrer un jour.

*
* *

Au début, j'ai fréquenté un centre de physiothérapie appelé la Fraternité. On aurait dit une maison traditionnelle syrienne avec une grande cour, des balançoires et une fontaine. Il n'y avait pas d'ascenseur et je devais utiliser la rampe pour me hisser dans les escaliers. Les kinésithérapeutes étaient souriants, mais ils me faisaient faire des choses compliquées, par exemple des exercices d'équilibre avec des ballons en caoutchouc. Sinon ils me sanglaient à un appareil par des bandeaux attachés de ma taille jusqu'au bas de mes jambes pour essayer de me faire tenir droite. On aurait dit un dispositif sorti tout droit d'une chambre de torture d'Assad.

J'étais censée me rendre à la Fraternité pour faire de l'exercice deux fois par semaine, mais mes crises d'asthme n'arrêtaient pas et j'ai fini à l'hôpital si souvent que les docteurs en sont venus à me connaître. Les crises semblaient toujours se déclencher en plein milieu de la nuit, et parfois l'air était tellement comprimé dans mes poumons qu'Ayee pensait que j'allais mourir. La douce Jamila me réconfortait toujours, jusqu'à ce qu'elle quitte la maison pour se marier, après quoi Bland et Nasrine m'accompagnaient à sa place. Un rien semblait déclencher une crise. Le pire était la fumée de cigarette, et quasiment tous les Syriens fument, quelques femmes aussi. Personne n'était censé fumer dans notre appartement, mais je sentais l'odeur qui montait du rez-de-chaussée. Mes crises avaient le chic pour tomber en période de vacances — j'ai passé quatre fêtes de l'Aïd à l'hôpital.

Dans mon pays, il n'y a quasiment aucun équipement pour les personnes handicapées et mes crises d'asthme étaient si fréquentes que je ne pouvais pas aller à l'école. Nahra, ma troisième sœur, qui n'avait pas des notes suffisantes pour aller à l'université, est restée à la maison jusqu'à son mariage. Elle s'intéressait davantage aux questions de beauté et de maquillage que mes autres sœurs et mettait toujours un temps fou à s'habiller, mais elle pensait que mon handicap ne devait pas m'empêcher d'apprendre. Non seulement elle m'a enseigné les règles du football mais, quand j'ai eu six ans, elle m'a appris à lire et à écrire en arabe, en me faisant inlassablement réécrire la même phrase, noircir une page jusqu'à me rendre folle.

J'apprenais vite. Nasrine allait quémander des manuels scolaires pour moi à l'école de quartier et, en une quinzaine de jours, j'en avais fait le tour. Une fois que j'ai su lire, mon monde a tourné autour des livres, de la télé, et du balcon. De là-haut, assise au milieu des plantes, je pouvais contempler les autres toits avec leur linge qui flottait au vent, leurs antennes paraboliques et leurs réservoirs d'eau. Au-delà, les minarets fins comme des crayons qui appelaient à la prière cinq fois par jour baignaient en fin de journée dans une lumière verte magique. Je gardais surtout un œil sur notre rue. Des bâtiments d'habitation comme le nôtre se dressaient de chaque côté. En guise de magasins il y avait seulement une épicerie et une boutique de maillots de foot. La circulation n'était pas trop chargée, avec de temps à autre des motos ou le klaxon d'une voiture et, chaque matin, un marchand ambulant qui poussait son chariot de bouteilles de gaz pour le chauffage et la cuisine. Je pense qu'il devait être chrétien parce que sa boîte à musique passait toujours des chants de Noël.

Sur son chariot, comme partout ailleurs, se trouvaient des photos de notre dictateur Bachar el-Assad. Dans cette partie du monde, nos dirigeants ont le culte de la personnalité. Tout s'appelait « Assad ». Assad par-ci,

Assad par-là : le lac el-Assad, l'Académie Assad, jusqu'au Club d'écriture Assad. Chaque semaine ou presque, des panneaux d'affichage germaient dans les rues avec de nouvelles photographies de lui. Certaines le montraient en homme d'Etat sérieux rencontrant divers chefs de gouvernement, d'autres, comme une figure paternelle en train de sourire, de faire un signe de la main ou de se promener à vélo avec un de ses enfants à l'arrière, le tout accompagné de slogans réconfortants du style « *Kullna ma'ak* » (Nous sommes tous avec vous). On disait que ses yeux avaient été teintés pour avoir l'air plus bleu. J'avais l'impression d'être trompée par toutes ces choses.

Il y avait également des photos de son défunt père, Hafez, celui qui avait démarré toute l'entreprise de la famille régnante dans les années 1970. Né pauvre dans une famille de onze enfants, Hafez s'était hissé à la tête de l'armée de l'air à l'époque où mon père avait fait son service national, avant de diriger le pays pendant des décennies après s'être emparé du pouvoir par un coup d'Etat. Comme nous, les Assad étaient une minorité — du clan alaouite — mais ils étaient chiites, tandis que la plupart des Syriens sont sunnites comme nous. Cela leur donnait peut-être un sentiment d'insécurité, car ils dirigeaient le pays comme un Etat policier, avec quinze agences de renseignement différentes, et enfermaient ou éliminaient les insoumis. Hafez a survécu à plusieurs tentatives d'assassinat pour succomber finalement à une mort naturelle, une crise cardiaque, en 2000, l'année après ma naissance.

Le projet était que son fils aîné, Basil, tête brûlée, officier de l'armée et champion d'équitation, lui succède. Mais Basil, qui adorait les bolides, avait trouvé la mort en 1994 à bord de sa Mercedes lancée à toute allure sur la route de l'aéroport de Damas. C'est ainsi que son deuxième fils, le fluet et timide Bachar, celui qu'on surnommait le fils à sa maman, a pris la relève. Au début, les gens étaient contents. Contrairement à son père qui avait une formation de pilote en Union soviétique, Bachar avait étudié l'ophtalmologie en Angleterre (en troisième cycle au Western Eye Hospital à Londres), et sa femme, Asma, était née en Grande-Bretagne (son père est cardiologue à Londres). Nous étions fiers d'avoir pour président un élégant jeune homme marié à une belle femme, qui voyageait à travers le monde et avait même rencontré la reine. Nous pensions qu'il serait plus ouvert d'esprit et qu'il changerait les choses. Et au début c'était le cas : Bachar a relâché des centaines de prisonniers politiques, a permis aux intellectuels de tenir des réunions politiques et a autorisé le lancement du premier journal indépendant depuis des décennies. Il a baissé l'âge de départ à la retraite dans l'armée pour se débarrasser de la vieille garde de son père. On a appelé ça le « Printemps de Damas ».

Malheureusement, en l'espace de deux ans, tout est revenu à son point de départ. Peut-être à cause de cette vieille garde qui n'aimait pas le changement. De nouveau les gens vivaient dans la peur du moukhabarat, notre police secrète, et ne disaient jamais vraiment ce qu'ils pensaient, ne sachant pas qui pouvait bien les écouter ou les observer.

Mon adage préféré est « Riez tant que vous respirez et aimez tant que vous vivez » et je ne comprends pas qu'on puisse s'apitoyer sur son sort alors que le vaste monde est si beau. C'est un des « principes de Nujeen ». En voici un autre : je ne crois pas qu'on naisse mauvais, pas même Assad. Le problème vient de ce qu'il était un enfant gâté qui a hérité du royaume de son père. C'était comme si nous appartenions à la famille Assad, et qu'elle n'avait aucune intention de renoncer à ses sujets. Nous ne parlions jamais d'Assad, même à la maison entre nous. Nous savions qu'ils avaient des agents partout. Les murs ont des oreilles, avait-on l'habitude de dire, alors on se taisait.

Moi aussi j'observais les choses, et je savais quand les hommes étaient rentrés du travail en fin d'après-midi, quand le parfum sucré du tabac montait de leurs narguilés pour chatouiller mes poumons délicats. Parfois, quand je scrutais les ombres qui traversaient la rue et que des silhouettes s'évanouissaient dans les allées sinueuses, j'avais envie de partir à l'aventure. Ça faisait quoi de se perdre dans un dédale de rues étroites ?

Alep accueillait de nombreux touristes. Tout le monde s'accorde à dire que la ville est magnifique avec sa citadelle médiévale, sa grande mosquée et le plus vieux souk couvert du monde qui vend des marchandises provenant de la Route de la soie, comme les épices indiennes, les soies chinoises et les tapis persans. Notre appartement était en hauteur et, si quelqu'un de la famille m'aidait à me redresser, je pouvais voir la citadelle s'illuminer la nuit sur une colline au milieu. Comme j'aurais aimé la visiter ! Je suppliais ma mère de m'y emmener mais c'était impossible à cause de toutes les marches d'escalier.

Tout ce que je voyais se résumait à notre chambre et aux endroits chez moi où je pouvais me traîner avec mes sauts de lapin. Ma famille essayait bien de me faire sortir, mais ça demandait des efforts considérables. Comme il n'y avait pas d'ascenseur il fallait me porter sur cinq étages, et une fois en bas les rues étaient truffées de nids-de-poule.

Même les personnes valides avaient du mal à marcher. Le seul endroit où je pouvais aller était chez mon oncle parce qu'il habitait à proximité et que le bâtiment avait un ascenseur, donc j'ai fini par me désintéresser de l'extérieur. Une fois dehors, au bout de cinq minutes j'avais envie de rentrer. Je suppose que c'est moi qui ai fini par m'enfermer.

Parfois je surprenais Yaba en train de me regarder d'un air triste. Il ne me réprimandait jamais, même quand j'inondais la salle de bains en jouant au water-polo, et il allait me chercher tout ce que je voulais (ou bien il envoyait mes frères), qu'il s'agisse de poulet grillé du restaurant au beau milieu de la nuit ou du gâteau chocolat-noix de coco dont je raffolais. Je m'efforçais d'avoir l'air heureuse pour lui. Il ne me laissait jamais faire quoi que ce soit toute seule. Ça mettait Nasrine en colère. Si j'avais soif et que je demandais à boire, mon père insistait pour qu'elle s'en occupe, même si la bouteille était sur la table en face de moi. Une fois, je l'ai vue pleurer : « Pour l'instant on est tous là, mais qu'est-ce que Nuj va devenir quand on sera tous morts ? »

Le pire, quand on est handicapé, c'est qu'on ne peut pas s'isoler pour pleurer dans son coin. On n'a aucune intimité. Parfois, on est de mauvaise humeur et on a juste envie de verser des larmes et d'évacuer toute cette énergie négative, mais tout ça m'était impossible car je ne pouvais me déplacer nulle part. Il fallait constamment que je dépende de quelqu'un. J'essayais d'éviter que les gens scrutent ma manière de marcher. Quand je rencontrais une personne pour la première fois, ma mère racontait toute l'histoire de ma naissance et n'arrêtait pas d'insister sur le fait que j'étais très intelligente, comme pour dire « Ecoutez, elle ne peut pas marcher, mais elle n'est pas handicapée mentale. » Je me contentais de fixer la télé en silence.

La télé est devenue mon école et mon amie. Je passais tout mon temps avec des adultes, comme mes oncles qui vivaient à côté. Je ne touchais jamais à un jouet. Quand des parents venaient nous rendre visite, ils apportaient parfois des poupées ou des peluches, mais elles ne bougeaient pas de leur étagère. Mustafa dit que je suis née avec l'esprit d'une adulte. Quand j'essayais de me faire des amis de mon âge, ça ne fonctionnait pas. Mon frère aîné Shiar a une fille, Rawan, d'un an et demi de moins que moi, qui nous a rendu visite avec sa mère à plusieurs occasions. Comme j'avais vraiment envie d'être son amie, j'étais prête à tout, même à faire des jeux assommants ou à lui servir de modèle pour ses expériences de coiffure. Mais dès que quelqu'un de valide arrivait, elle me laissait en plan. Un jour (elle avait cinq ans, j'en avais sept), je lui ai demandé pourquoi elle ne jouait pas avec moi. « Parce que tu ne sais pas marcher », a-t-elle répliqué. Parfois, j'avais l'impression d'être un membre surnuméraire de la population mondiale.

3
La fille à la télé

Alep, Syrie, 2008-2010

Hormis les faits, j'aime les dates. Le 19 avril 1770, le capitaine James Cook a découvert l'Australie et, le 4 septembre 1998, Google a vu le jour. La date que j'aime le moins est le 16 mars. C'est une journée noire dans l'histoire des Kurdes : en 1988, dans les derniers jours de la guerre Iran-Irak, près de vingt avions de chasse de Saddam Hussein ont largué un mélange mortel de gaz moutarde et d'agents neurotoxiques sur les Kurdes de la ville de Halabja, au nord de l'Irak. La ville était tombée entre les mains des Iraniens qui avaient uni leurs forces aux Kurdes de la région, et Saddam voulait les punir. On a appelé ce jour le « Bloody Friday ». Des milliers d'hommes, de femmes et d'enfants ont été tués — nous n'avons pas le chiffre exact, mais près de cinq mille —, et des milliers d'autres se sont retrouvés avec la peau toute fondue et des problèmes respiratoires. Par la suite, de nombreux bébés sont nés avec des malformations.

Chaque année, à cette date, notre chaîne de télé kurde passait des chants funèbres en mémoire de Halabja, ainsi que des vieux films qui me rendaient terriblement triste.

C'était horrible de voir les panaches des fumées blanches, noires et jaunes s'élever de la ville après le bombardement, puis les gens qui prenaient la fuite en hurlant, entraînant leurs enfants derrière eux ou les portant sur leurs épaules, et les corps qui s'entassaient. J'ai vu un film où les gens racontaient que le gaz sentait la pomme sucrée, et après ça je n'ai plus jamais touché à une pomme. Je déteste ce jour-là. J'aimerais pouvoir le supprimer du calendrier. Saddam était un dictateur encore pire qu'Assad. Pourtant, l'Occident l'a soutenu pendant des années et lui a même fourni des armes. Parfois, on a l'impression que personne n'aime les Kurdes. La liste de nos peines est interminable.

Le mois de mars est en réalité le meilleur et le pire moment pour les Kurdes. C'est le mois de notre fête annuelle de Newroz, qui marque le début du printemps et que nous partageons avec les Perses. Et nous commémorons également le jour où le tyran dévoreur d'enfants Dehak a été vaincu par Kawa le forgeron.

Dans les journées précédant Newroz, l'appartement s'emplissait d'arômes divins de cuisine tandis qu'Ayee et mes sœurs préparaient les dolmas, ces feuilles de vigne farcies à la tomate, aubergine, courgette et oignon, et des pommes de terre fourrées de viande hachée (à part une seule qu'on laissait vide pour porter chance à celui ou celle qui la trouvait). C'était le seul jour de l'année où je sortais. Quelques jours avant Newroz, avec tous les voisins, nous décorions nos balcons de lampions de teinte rouge, verte, blanche et jaune, les couleurs du drapeau national du Kurdistan. Le jour même, nous revêtions le costume national avant de prendre la route en minibus.

Bien entendu, le régime n'appréciait guère et mobilisait beaucoup de policiers dans les rues ce jour-là. Il n'interdisait pas le festival parce qu'il savait à quel point nous étions têtus, nous autres Kurdes, et qu'il redoutait des émeutes. Il fallait néanmoins une autorisation officielle, qui n'était pas simple à obtenir, et nous n'avions pas le droit de faire la fête dans les rues du quartier. A la place, il fallait se rendre à Haql al rmy à la périphérie d'Alep, sorte de friche qui servait de stand de tir à l'armée et veut littéralement dire « champ de tir ». L'endroit était rocailleux et lugubre, et nous emportions quantité de tapis pour nous asseoir et étaler notre pique-nique.

A dire vrai, il m'arrivait d'espérer que le festival serait interdit parce que je détestais y aller. Tout d'abord, descendre les cinq étages à pied était un vrai calvaire. Ensuite, une fois sur place, l'endroit était bondé et bruyant, et le sol dur était très inconfortable. Je ne pouvais même pas voir les gens danser ni le défilé sur notre hymne national. Et il fallait faire attention à ce que l'on disait parce que parmi les fêtards se trouvaient des marchands de ballons gonflables, de crème glacée et de barbe à papa dont on pensait qu'ils étaient des espions à la botte des services de renseignement d'Assad. En réalité, nous étions constamment sur nos gardes. En fin de journée les gens dansaient autour d'un feu de joie et des feux d'artifice illuminaient le ciel.

Puis, une ou deux semaines plus tard, suivaient les arrestations des organisateurs, de ceux qui avaient monté la scène et la sono pour les musiciens. En 2008, la police a abattu trois jeunes hommes qui fêtaient Newroz dans une ville kurde, et certains ont demandé son interdiction. Au lieu d'aller à l'affrontement pur et simple avec les Kurdes, le régime a annoncé que dorénavant cette date marquerait la fête des Mères et que les festivités serviraient à ça. Ça montre bien à quel point les Assad sont retors.

Cette année-là, j'ai raté Newroz parce que les médecins ont décidé de m'opérer pour allonger mes tendons d'Achille afin que je puisse étendre mes pieds et poser les talons par terre au lieu de me tenir constamment sur la pointe des pieds. Je me suis réveillée à l'hôpital Al Salam avec la moitié inférieure de mes jambes dans un plâtre et la sensation que mes pieds étaient en feu. J'en ai pleuré. Ma sœur aînée, la douce Jamila, qui s'était mariée l'année précédente et avait déménagé, me manquait. Bland, qui avait terminé ses études, travaillait comme comptable pour une société commerciale et Nasrine, marchant sur les traces de ma sœur Nahda, venait de commencer des études de physique à l'université d'Alep. J'étais contente pour eux, mais cela voulait dire que je me retrouvais seule à la maison avec Ayee et Yaba toute la journée.

Un jour, j'étais assise sur le tapis du grand balcon lorsque Ayee est arrivée avec mon oncle Ali qui venait de rendre visite à des parents dans la ville de Homs. « Ton oncle a quelque chose pour toi », m'a-t-elle annoncé. Oncle Ali m'a tendu une boîte de mouchoirs et a éclaté de rire en voyant ma mine déconfite. Une boîte de mouchoirs semblait un piètre cadeau.

« Regarde à l'intérieur », m'a-t-il conseillé. Au milieu des mouchoirs se cachait une petite tortue. Homs était célèbre pour ses tortues. J'étais si heureuse que j'ai passé la journée la boîte sur les genoux. J'adorais caresser du bout des doigts les motifs de la carapace bombée de la tortue et l'observer sortir sa petite tête toute grise et ridée comme une peau de serpent avec ses yeux noirs perçants. Le premier jour, elle bougeait à peine et j'avais une peur bleue de l'avoir abîmée. J'étais tristement célèbre dans la famille pour casser tout ce que je touchais. Au début, je vérifiais comment elle allait toutes les deux minutes pour m'assurer qu'elle était encore en vie. On la gardait sur le balcon, à la nourrir de salade, et on l'a appelée Sriaa, qui signifie « rapide » en arabe, parce qu'elle était très lente. Encore plus que moi.

Le seul qui n'aimait pas la tortue était Yaba. Il se plaignait qu'elle était *haram* ou contraire à l'islam, ce qui me faisait rire. L'été est arrivé (nous dormions dehors sur le balcon) et, une nuit, on a tous été réveillés par un juron retentissant. La tortue avait grimpé sur mon père, et il était furieux.

Le lendemain, Sriaa avait disparu. J'ai cherché partout sur le balcon, de plus en plus suspicieuse. Puis j'ai fini par aller voir Yaba.

— Où est-elle ?

— Je l'ai emportée pour la mettre en vente, m'a-t-il répondu. C'est pour le mieux, Nujeen, c'est cruel d'enfermer les animaux.

— Non ! ai-je hurlé. C'était ma tortue et elle était heureuse ici. Comment tu peux savoir ce qui va lui arriver maintenant ?

Et j'ai pleuré comme un veau.

Je ne pouvais pas me plaindre, évidemment, puisqu'il s'était débarrassé d'elle pour des motifs religieux. Mais par la suite je me suis sentie secrètement soulagée. J'avais eu tellement peur qu'il lui arrive quelque chose. Si on tient une tortue par la queue, elle meurt. Je n'aurais pas été capable de faire face à ça.

Une fois les autres enfants de l'immeuble partis à l'école, et en l'absence de tortue à surveiller, il ne me restait plus rien d'autre à faire sinon regarder la télé. Grâce à l'antenne parabolique, ma chambre s'est soudainement ouverte à tout un monde. National Geographic, History Channel, Arts

& Entertainment... j'aimais les émissions sur l'histoire et sur la nature (mon animal préféré est le lion, le roi de la jungle ; et le plus effrayant est le piranha, qui peut dévorer un humain en quatre-vingt-dix secondes).

Je regardais surtout des documentaires. J'ai puisé tout ce que je sais des extraterrestres, de l'espace ou des astronautes, comme Neil Armstrong et Youri Gagarine, dans des documentaires. J'étais très en colère contre Gagarine qui avait dit en 1961, en devenant le premier homme à franchir la ligne de Kármán entre la Terre et l'espace, qu'il n'avait vu aucun signe de Dieu. C'est très dur pour nous, musulmans. Mais, plus tard, j'ai vu une autre émission qui affirmait qu'il n'avait pas dit ça. On nous trompe sans cesse.

La télé était allumée tout le temps, sa lumière bleue d'aquarium clignotant jour et nuit jusqu'à ce qu'Ayee ou Mustafa me crient parfois de l'éteindre pour pouvoir dormir. Comme je n'allais pas à l'école, il m'arrivait de rester devant jusqu'à 3 heures du matin puis de me lever à 8 h 30 pour m'y remettre. Mon jour de prédilection était le mardi, lorsque était diffusée la version arabe de « *Qui veut gagner des millions ?* » J'adorais les jeux télévisés. Il y en avait un autre tous les soirs à 6 heures qui s'appelait « *Al Darb* », qui veut dire « le chemin », où les joueurs s'affrontaient en équipe. En règle générale j'avais la réponse à toutes les questions.

La télé n'était pas grande (50 centimètres) et elle avait une grosse fissure sur le côté : un jour, j'avais agrippé le meuble télé pour me redresser et le téléviseur m'était tombé dessus. J'avais pleuré, non pas parce que je m'étais fait mal, mais parce que je croyais qu'elle ne fonctionnerait plus jamais. De temps en temps, Bland se mettait en colère contre moi. « Nujeen, tu as réussi à te convaincre que tu aimes rester à la maison à regarder la télé et que c'est mieux que de sortir, mais c'est pas bon de rester à l'intérieur tout le temps. » Je l'ignorais. Mais parfois je me demandais comment faisaient les autres personnes handicapées. Et puis je retournais à ma télé.

Ayee, Nasrine et moi aimions suivre le tennis : l'US Open, Roland-Garros, l'Open d'Australie et, surtout, Wimbledon avec ses arbitres élégamment vêtus d'uniformes vert et violet et ses courts en gazon impeccables comme de la moquette. J'ai rapidement appris toutes les règles. Ayee aimait Andy Murray ; moi, c'était Roger Federer, et Nasrine préférait Nadal. De même, au foot, j'aimais bien Barcelone alors que Nasrine préférait le Real Madrid.

Pendant la Coupe du monde de 2010, nous avons regardé la télé tous ensemble pour la première fois. Ma famille adore le football ! Comme d'habitude, les habitants du quartier ont arboré le drapeau de leur équipe favorite. J'ai accroché celui de l'Argentine à notre balcon, pour Messi. Notre voisin avait un drapeau italien. Mais je n'avais pas la tête à ça et je n'arrêtais pas de pleurer l'absence de ma deuxième mère, Jamila. Les médecins avaient affirmé que j'irais mieux en grandissant, mais mes pieds, qui étaient censés se redresser, étaient encore plus recourbés qu'avant. Mon frère Farhad en Angleterre a fini par trouver un chirurgien orthopédique de renom à Alep. Sa réputation était telle qu'il fallait des mois pour obtenir un rendez-vous. Nous sommes allés à son cabinet médical un matin, tôt, pour prendre un ticket. Des villageois avaient attendu toute la nuit. Nous avions le numéro 51. Chaque patient avait cinq minutes et nous avons fini par être reçus en fin d'après-midi.

En voyant mes pieds, il s'est mis en colère, expliquant à mes parents qu'ils n'auraient pas dû laisser la situation se détériorer mais que j'aurais dû faire des exercices. J'avais besoin de trois opérations le plus rapidement possible. On nous a envoyés à l'hôpital pour des analyses de sang, après quoi il pourrait opérer le jour suivant. La première opération est intervenue une nouvelle fois sur mes chevilles, puis deux autres sur l'allongement des ligaments du genou qui étaient devenus trop courts par manque d'exercice. Le tout a coûté 4 000 dollars à ma famille, intégralement payé par mon deuxième frère, Mustafa, grâce à ses puits d'eau, et cette fois-ci mes jambes étaient entièrement plâtrées de la hanche à la cheville ; seuls mes orteils dépassaient, et je devais rester allongée.

Je n'étais pas censée quitter l'hôpital, mais j'ai insisté pour rentrer au bout d'une nuit pour pouvoir regarder le foot — je voulais désespérément que l'Argentine gagne, sinon l'Espagne. Mais la douleur était telle que j'ai hurlé pendant tout le trajet en taxi, et de plus belle une fois à la maison, au point de faire fuir Mustafa et Bland de la pièce.

La douleur a fini par partir, mais je suis restée plâtrée pendant quarante jours qui m'ont semblé une éternité. Puis mon frère a acheté un appareil orthopédique spécial pour renforcer les muscles de mes jambes. Ça me faisait des jambes de robot, et oh ! quel supplice ! Je devais le porter dix heures par jour et je me plaignais sans arrêt. Mais au bout d'une semaine, je m'y suis habituée et, pour la première fois grâce à lui, j'ai pu me lever avec l'aide d'un déambulateur. J'ai découvert des portions de l'appartement que je ne visitais jamais en temps normal, comme la cuisine, et j'ai pu jeter un œil à la citadelle depuis le balcon sans l'aide de personne. Ayee disait que j'étais comme un nouveau-né.

C'est à peu près à cette époque que j'ai commencé à regarder *Des jours et des vies*, un soap-opéra américain sur les querelles et les triangles amoureux de deux familles rivales dans une ville fictive de l'Illinois, les Horton et les Brady, et d'une famille mafieuse du nom de DiMera. Ils avaient tous d'immenses maisons magnifiques avec des tas d'habits et d'appareils électroménagers, chaque enfant avait sa propre chambre à coucher et un des hommes était docteur dans un hôpital immaculé, rien à voir avec Al Salam où j'avais été opérée. Leurs vies n'avaient aucun rapport avec les nôtres. Au départ, je ne comprenais pas ce qui se passait et parfois l'histoire était étrange, des personnages revenaient d'entre les morts, mais au bout d'un moment j'ai accroché. Je regardais avec Ayee. Ça rendait Nasrine folle : « Mais qu'est-ce que tu trouves à ça ? » s'insurgeait-elle.

Nous avions notre propre soap-opéra familial. Mes parents étaient désespérés que Mustafa ne soit pas marié. En tant que deuxième fils, il aurait dû se marier après Shiar en 1999. Mais il avait d'abord voulu attendre que Jamila se marie, après quoi il disait vouloir se consacrer à son travail puisqu'il était le principal soutien de famille. Mais à présent il avait trente-cinq ans, ce qui dans notre culture est très âgé pour un célibataire. Nous avons des mariages arrangés — pas des mariages d'amour — et je voyais bien dans *Des jours et des vies* que ce système n'était pas très bon. Ma mère n'arrêtait pas de rencontrer des épouses convenables dans notre tribu, mais Mustafa refusait toujours d'aller plus loin en riant. Et peu importe que Mustafa soit à la maison ou non : les gens ne parlaient plus que de ça. Je n'en pouvais plus. A chaque fois qu'ils abordaient le sujet, je m'écriais « Pas encore ! » et me bouchais les oreilles.

4

Jours de rage

Alep, Syrie, 2011

Nous étions le 25 janvier 2011, juste après mon douzième anniversaire, et je regardais *Des jours et des vies*, tracassée à l'idée d'être une psychopathe, vu que mes personnages préférés étaient presque toujours les méchants, lorsque Bland est rentré précipitamment du travail et s'est emparé de la télécommande. Je l'ai regardé avec stupéfaction. Tout le monde savait que j'étais chargée de la télé.

En général, Bland est si calme et décontracté que j'ai toujours l'impression qu'une partie de lui nous est inconnue, mais cette fois-ci il virevoltait comme ces tourbillons de poussière qu'on voit dans le désert. Et voilà qu'après m'avoir pris la télécommande, il basculait sur Al Jazeera. Tout le monde dans la famille sait que je n'aime pas les informations. Elles sont toujours mauvaises : Afghanistan, Irak, Liban, une guerre après une autre dans un pays musulman, et ce pratiquement depuis ma naissance.

« Il s'est passé quelque chose », s'est-il exclamé. A l'écran, des milliers de personnes convergeaient sur la place principale du Caire en agitant des drapeaux et en exigeant la révocation de Hosni Moubarak, leur président de longue date. J'ai pris peur. Les dictateurs tirent sur les gens. On le savait. Je n'avais pas envie de voir ça. J'ai commencé à secouer la tête.

« J'étais en train de regarder mon émission », ai-je protesté. En vertu de ce que j'appelle mon « avantage handicap », mes frères et sœurs savaient pertinemment qu'ils n'étaient pas censés me contrarier. Même quand je balançais les affaires de Nasrine par la fenêtre, que ce soit son stylo bleu ou le CD de chansons kurdes qu'elle écoutait tout le temps.

Comme prévu, les gaz lacrymogènes, les balles en caoutchouc et les canons à eau n'ont pas tardé à faire leur apparition pour repousser les manifestants. Le bruit sourd des balles m'a fait sursauter. Après ça Bland m'a laissée changer de chaîne. Mais les manifestations ont continué. Mustafa, Bland et Nasrine ne parlaient que de ça, et à chaque fois que je quittais la pièce ils mettaient les infos. J'ai fini par abdiquer. Bientôt, je me suis retrouvée à mon tour rivée à Al Jazeera à regarder grossir la foule de la place Tahrir. Parmi elle se trouvaient de nombreux jeunes, comme Bland et Nasrine, le drapeau égyptien peint sur le visage ou la tête couverte d'un bandana rouge, blanc et noir.

Un jour, nous avons regardé, le cœur battant, tandis qu'une colonne de tanks s'avançait sur la place comme des monstres. Des dizaines de manifestants leur ont courageusement coupé le passage. J'arrivais à peine à regarder les images. Puis il s'est passé quelque chose d'étonnant. Les tanks n'ont pas tiré : ils se sont arrêtés. La foule est montée dessus en scandant des slogans, en peinturlurant des « Moubarak doit partir ! » sur leurs flancs, et on voyait même les manifestants discuter avec les soldats.

Deux jours plus tard, Bland, Nasrine et moi étions de nouveau collés à l'écran tandis que des masses de sympathisants pro-Moubarak fonçaient sur la place comme une cavalerie infernale à dos de cheval et de dromadaires. Les manifestants les repoussaient à coups de pierres, et arrachaient des dalles de la place pour s'en faire des boucliers. Les tanks ont formé une ligne de front entre les deux groupes et il devenait difficile de voir ce qui se passait à cause de la quantité de poussière et de flammes. Enfin, les pro-Moubarak ont été chassés et les partisans de la démocratie ont érigé des barricades avec des plaques de rue, des morceaux de clôture métallique et de voitures calcinées pour les empêcher de revenir.

Nous nous demandions comment tout cela allait finir. Les manifestants ont monté une sorte de village de tentes, doté d'un hôpital de campagne pour soigner les blessés, d'espaces de distribution de nourriture et d'eau, et même d'endroits pour se faire raser et couper les cheveux. On aurait dit un festival, un peu comme notre Newroz annuel. On pouvait voir des enfants de mon âge en train de piétiner des photos de Moubarak. Les journalistes sur place étaient enthousiastes eux aussi. Ils avaient même un nom pour tout ça : le Printemps arabe. Pour nous, ça ressemblait à notre Printemps de Damas qui ne s'était pas bien terminé du tout.

L'occupation s'est poursuivie pendant dix-huit jours. Puis, vers 18 heures le 11 février, Nahda et Nasrine, en revenant du mariage de mon oncle, m'ont réveillée d'une sieste. On a allumé la télévision au moment où le vice-président égyptien annonçait : « Le président Hosni Moubarak a décidé de renoncer à ses fonctions. » Bientôt la nouvelle s'est répandue : les Moubarak avaient été évacués par un hélicoptère de l'armée pour s'exiler à la station balnéaire de Charm el-Cheikh sur la mer Rouge. C'en était fini de Moubarak au bout de trois décennies de pouvoir. J'étais heureuse pour l'Egypte. Après, il y a eu des feux d'artifice, les soldats sont sortis des tanks pour serrer les manifestants dans leurs bras, les gens chantaient et sifflaient. C'était donc si simple ? Si je me rendormais dans l'après-midi, allais-je me réveiller et apprendre que Kadhafi avait quitté la Lybie ? Ou même Assad ?

Et ça ne s'est pas arrêté à l'Egypte. A ce moment-là, nous n'avions pas réalisé qu'il s'agissait d'un « courant », mais le Printemps arabe avait en réalité débuté en décembre de l'année précédente en Tunisie, lorsqu'un pauvre marchand des quatre saisons de vingt-six ans du nom de Mohammed Bouazizi s'était immolé par le feu devant la mairie. Ce qui était choquant pour nous, musulmans, car notre Saint Coran interdit de châtier les créatures d'Allah par le feu. Nous savions donc que cet homme devait être totalement désespéré mais nous ne savions pas s'il irait au paradis ou en enfer. Sa famille disait qu'il en avait assez de l'humiliation des fonctionnaires locaux et que la confiscation de sa charrette, son unique moyen de subsistance, l'avait poussé à bout. Lorsqu'il avait succombé à ses brûlures, en janvier 2011, des manifestations impressionnantes avaient éclaté dans le centre de Tunis. Dix jours plus tard le président Zine el-Abidine Ben Ali et sa famille prenaient la fuite pour l'Arabie saoudite après vingt-trois années de règne.

Bientôt, chaque jour à la télévision on découvrait des soulèvements dans de nouveaux endroits : au Yémen, à Bahreïn, en Jordanie, en Libye, en Algérie, au Maroc ; même dans le sultanat d'Oman des manifestations éclataient contre les dirigeants. On aurait dit une épidémie qui se répandait sur l'Afrique du Nord et le Moyen-Orient. Nous savions bien évidemment que la famille Assad régnait depuis quarante ans, mais n'avions pas réalisé à quel point tous ces autres dictateurs avaient tenu le pouvoir pendant si longtemps. Les gens se rassemblaient après la prière du vendredi, puis déferlaient dans la rue pour converger vers une place centrale. On a appelé ça les « Jours de rage ».

Quand viendrait le tour de la Syrie ? Chez nous aussi, la population était majoritairement jeune, sans emploi, et un dictateur et une élite riche piétinaient nos droits. Même depuis ma chambre du cinquième je sentais bien que tout le pays retenait son souffle. Nasrine racontait qu'à l'université on ne parlait que de ça. Mes frères et sœurs rentraient à la maison avec des récits d'incidents étranges : un Kurde dans la ville d'Al-Hakasah, située au nord-est du pays, s'était immolé ; des manifestations de petite ampleur germaient çà et là ; il y avait même eu un rassemblement à Damas après que la police avait agressé un marchand dans un des principaux souks. Mais rien ne prenait vraiment.

L'étincelle est finalement venue d'un endroit improbable : la petite ville agricole de Deraa dans le Sud-Ouest, près de la frontière avec la Jordanie, dont nous savions qu'elle était un bastion de soutien au régime qui envoyait depuis longtemps ses fils pour occuper les hautes fonctions. Ces dernières années, il avait produit un Premier ministre, un ministre des Affaires étrangères et le chef du parti Baas au pouvoir.

A la fin du mois de février 2011, l'arrestation d'un groupe d'adolescents qui avaient griffonné des graffitis antirégime sur les murs de l'école a eu l'effet d'un catalyseur. Ils avaient écrit : « *Al-Shaab yureed eskat el nizam !* » (Le peuple veut renverser le régime), exactement ce que la foule avait clamé au Caire. « Bachar dehors ! » avait ajouté un autre. Un troisième était en train d'écrire « Ton tour arrive, docteur » quand les forces de sécurité l'avaient repéré.

Les jours suivants, elles avaient arrêté dix autres adolescents, soit quinze au total, et les avaient amenés à la Direction générale de la sécurité — comme je vous l'ai dit, nous avons plusieurs polices secrètes — qui était sous le contrôle du général Atef Najib, le cousin du président, dont tout le monde avait peur.

Depuis l'époque du père d'Assad et la guerre des Six Jours, en 1967, quand Israël s'était emparé de notre plateau du Golan depuis le lac de Tibériade au sud jusqu'au mont Hermon au nord, notre police et nos services de sécurité jouissaient du pouvoir absolu en vue d'arrêter et de maintenir toute personne en détention, pour une durée indéterminée, sans jugement. Ils prétextent que nous sommes en état de guerre permanent avec « l'entité sioniste », ainsi que nous nommons Israël, bien que la guerre que nous avions de nouveau menée contre eux en 1973 ne nous ait pas rendu nos terres. Les prisons d'Assad sont tristement célèbres pour leur usage de la torture. On dit que la mort est moins dure à affronter qu'une prison syrienne, même si je me demande qui pourrait bien savoir ça.

Bientôt la rumeur a couru que les garçons étaient battus et torturés, les spécialités d'Assad consistant à arracher les ongles et à électrocuter les parties intimes. Désespérés, leurs parents sont allés voir les autorités. Le général Najib leur a dit : « Oubliez vos enfants, allez en faire d'autres. » Vous imaginez ça ? A travers tout le pays des jeunes gens ont essayé d'organiser un Jour de rage en soutien aux garçons. J'ai vu Nasrine et Bland consulter une page Facebook intitulée « La Révolution syrienne contre Bachar el-Assad 2011 », mais ils l'ont aussitôt refermée. Ils avaient peur ne serait-ce que de regarder la page.

Les garçons étaient originaires de tous les grands clans de Deraa, une zone fortement tribale. Et comme beaucoup d'agriculteurs de notre connaissance, sa population souffrait d'une sécheresse extrême qui durait depuis quatre ans et les empêchait de rivaliser avec les importations à bas prix en provenance de Turquie et de Chine. Au lieu de leur venir en aide, le gouvernement avait réduit les subventions. Et les gens étaient furieux de la manière dont le général Najib avait dirigé la région comme son fief personnel.

Ainsi, le 18 mars, après la prière du vendredi, lorsque les familles des disparus ont lancé un sit-in devant la maison du gouverneur de Deraa pour demander leur libération, elles étaient accompagnées de chefs religieux et communautaires locaux. La police anti-émeute a tenté de les disperser à coups de canons à eau et de gaz lacrymogènes, puis la police armée est arrivée sur les lieux et a ouvert le feu. Quatre personnes ont été tuées. A la vue du sang, les gens sont devenus fous. Les ambulances ne pouvaient pas passer à cause des forces de sécurité, et les manifestants ont dû porter leurs blessés jusqu'à l'ancienne mosquée de la vieille ville, qu'ils ont transformée en hôpital de fortune.

Deux jours plus tard, les manifestants ont mis le feu au QG local du parti Baas ainsi qu'à d'autres bâtiments gouvernementaux. Le président Assad a envoyé une délégation officielle pour adresser ses condoléances aux familles des victimes, avant de limoger le gouverneur et de transférer le général Najib.

Mais c'était trop tard. Notre tour était venu. Notre révolution avait commencé.

**

Comme on pouvait s'y attendre (les dictateurs manquent cruellement d'imagination), la première réaction d'Assad a été d'envoyer les tanks à Deraa pour briser la contestation. Notre armée est essentiellement alaouite, comme les Assad, ce qui explique peut-être qu'elle ne s'est pas refrénée comme l'avaient fait les tanks égyptiens. Elle a attaqué la mosquée — sorte de QG des manifestants — avec une telle force qu'après son départ ses murs étaient mouchetés de sang. Les funérailles des victimes se sont transformées en rassemblements de masse. Donnant lieu à de nouvelles fusillades et à de nouvelles victimes, et donc à plus de funérailles et encore à plus de manifestants.

Ensuite, le gouvernement a promulgué un décret pour réduire les impôts et augmenter le traitement des fonctionnaires de l'Etat, ce qui n'a fait qu'attiser la colère. Aux funérailles du jour suivant, des dizaines de milliers de personnes se sont rassemblées, hurlant : « Nous ne voulons pas du pain, nous voulons notre dignité ! » Puis, à la fin du mois de mars, Assad a prononcé une allocution au Parlement, qualifiant les manifestants d'« extrémistes sectaires » et de « terroristes étrangers ». « De telles conspirations ne fonctionnent pas sur notre pays ou notre peuple », s'est-il emporté. Nous leur disons qu'ils n'ont qu'un seul choix : apprendre de leur échec. »

Nous, Syriens, avons été choqués par ce discours. « Il nous considère comme des traîtres ! » s'est insurgé Bland. Deraa était en état de siège, mais des rassemblements hebdomadaires contre le gouvernement se sont formés dans d'autres villes, dont le détail était partagé sur Facebook et YouTube. En avril et en mai des manifestations ont éclos à Homs, à Hama, à Damas, à Rakka, se propageant de Lattaquié sur la côte méditerranéenne aux régions septentrionales bordant la Turquie et à la province orientale de Deir ez-Zor d'où provient notre pétrole.

A chaque fois, elles se heurtaient à une démonstration de force : le gouvernement pensait pouvoir tout bonnement écraser les mouvements de contestation. Des centaines de personnes se faisaient tuer. Mais ça continuait. Dans tout le pays les gens scandaient : « Avec notre âme, avec notre sang, nous nous sacrifions pour toi, Deraa ! »

Bientôt on ne parlait plus que de ça. Au point qu'on en a oublié que Mustafa refusait de se marier. Il y avait de l'électricité dans l'air, presque des crépitements. La révolution ! Comme dans les émissions d'histoire que je regardais. Nous débordions d'enthousiasme à l'idée de nous débarrasser de la famille Assad. Soudain, les gens parlaient de tout ce qui avait été impensable. C'était magnifique. Les gens écrivaient des chansons contre Assad. J'inventais contre lui des malédictions qu'il m'arrivait de proférer à voix haute.

Nous, Kurdes, pensions que nous allions enfin avoir notre Kurdistan, ou Rojava comme nous l'appelons. Dans la rue, des banderoles proclamaient : « La démocratie pour la Syrie. Le fédéralisme pour le Kurdistan syrien. » Mais Yaba disait qu'on ne comprenait pas. Les gens plus âgés comme lui savaient que le régime était dangereux parce qu'ils avaient assisté dans les années 1980 à Hama à la répression des manifestations des Frères musulmans que Hafez el-Assad et son frère Rifaat avaient menée en massacrant dix mille personnes et en pulvérisant la ville. Ils savaient comment la famille Assad allait réagir.

Le régime faisait la sourde oreille aux demandes du peuple. Au lieu d'un vrai changement, Assad a annoncé quelques mesures visant à apaiser différentes catégories de la population. Il a légalisé le port du *niqab* pour les institutrices, qui avait été interdit l'année précédente. Pour empêcher les Kurdes de se joindre aux manifestations, Assad est allé jusqu'à promulguer un décret présidentiel délivrant la nationalité à près de trois cent mille Kurdes qui étaient apatrides depuis la fin des années 1960. Pour la toute première fois, son porte-parole, sur la télé d'Etat, a souhaité un joyeux Newroz aux Kurdes avant de diffuser une chanson kurde.

Mais ça n'était pas suffisant : les gens voulaient moins de corruption et plus de libertés. Les appels à la réforme se sont transformés en appel à la destitution d'Assad. Les manifestants ont arraché les dernières affiches de Bachar (le montrant en jean à genoux en train de planter un arbre), les ont incendiées, et ont même détruit des statues de son père défunt dont nous avions à peine osé murmurer le nom.

Nous regardions la plupart de ces événements sur Al Jazeera ou YouTube. Bien évidemment la télévision syrienne ne montrait rien. Notre meilleure source d'information était Mustafa : il avait démarré une entreprise de transport en camions depuis le Liban, et il voyait des tas de choses en sillonnant le pays. Comme Yaba, il affirmait que notre régime était plus dur que les autres. Cependant, en voyant la première manifestation de Deraa se répandre à Homs et à Hama, il a changé d'avis.

Il nous racontait qu'à Hama il y avait tellement de monde qu'on aurait dit qu'une marée humaine avait submergé la place centrale. Hama avait été le théâtre du massacre de tous ces gens en 1982, et de nombreux manifestants étaient les orphelins de cette tuerie. Ils descendaient dans la rue après la prière du vendredi, quand, comme à son habitude, le régime a exercé des mesures de représailles. Trois camions militaires équipés de gros fusils sont soudain apparus et ont tiré sur la foule, tuant soixante-dix personnes. Au premier rang des manifestants, les hommes criaient le mot « pacifique » quand on les a abattus. La tuerie a révolté la ville. Bientôt, toute la place a été noire de monde.

— Ça y est, a déclaré Mustafa. Dans trois semaines ce sera terminé.

Puis il s'est trouvé dans la ville kurde de Derik au sud-est de la Turquie, près de la frontière, à l'occasion de la fête d'anniversaire de Hamid Darwish, le chef du Parti démocratique progressiste kurde, où tout le monde débattait de la façon dont les Kurdes devaient réagir à la révolution. Tous les Kurdes pensaient que le régime était fini, et la discussion tournait autour de l'obtention de notre propre Etat ou tout du moins d'une forme d'autonomie, comme les Kurdes du nord de l'Irak. Ils avaient envoyé quelqu'un à Bagdad pour rencontrer Jalal Talabani, le président irakien, lui-même kurde, pour lui demander son avis. Ce dernier avait affirmé que la chute du régime d'Assad n'aurait pas lieu. Comme ce n'était pas ce qu'ils avaient envie d'entendre, ils avaient tranché : « Oh ! Talabani est vieux. »

Alors qu'il avait raison : il savait ce qui se passait.

La Syrie était différente de l'Egypte et de la Tunisie. Assad avait appris de son père, de la façon brutale dont il avait maté la révolte de Hama, et avant encore de nos colons français. En 1925, alors que nous étions sous la domination française, musulmans, druzes et chrétiens s'étaient soulevés ensemble, insurrection qui a reçu le nom de « Grande Révolte arabe ». Les Français avaient riposté par un bombardement de l'artillerie si nourri qu'il avait rasé tout un quartier de la vieille ville de Damas. Cette zone est désormais connue sous le nom d'Al-Hariqa, qui signifie « incendie ». Ils ont tué des milliers de personnes et instauré des exécutions publiques sur la place Marja en guise d'avertissement. Après quoi la rébellion a été écrasée et nous avons poursuivi sous la domination française pendant encore deux décennies, jusqu'en 1946.

Peut-être parce que nous avions oublié ce pan de l'histoire, les jeunes gens comme nous étaient persuadés qu'il y aurait du changement. Quand nous avons entendu dire qu'Assad allait prononcer un nouveau discours, en juin 2011, nous nous attendions à ce qu'il annonce enfin des réformes majeures. Au lieu de quoi il a de nouveau adopté une ligne dure, dénonçant ce qu'il qualifiait de « conspiration contre la Syrie » et accusant les « saboteurs » soutenus par les puissances étrangères et des « extrémistes religieux » dont il affirmait qu'ils avaient tiré parti de l'agitation. Il a soutenu qu'aucune réforme n'était possible tant que le chaos continuait. Il apparaissait évident que lui-même ou peut-être sa famille n'avaient aucune intention d'abdiquer le pouvoir. Comme je l'ai dit plus tôt : ils pensaient que nous leur appartenions.

Après ça la résistance a commencé à s'organiser. Des centaines de groupes rebelles se sont rassemblés pour former l'Armée syrienne libre (ASL) et ont commencé à se préparer à la guerre. Pour la plupart ils étaient jeunes, sans expérience ni formation, mais certains étaient des membres mécontents de la propre armée d'Assad. Les rumeurs disaient même que des hauts gradés avaient déserté l'armée pour rejoindre l'ASL. Les Kurdes n'ont pas rallié l'ASL puisque nous avons notre propre milice : les YPG ou Unités de protection du peuple.

Assad a purement et simplement intensifié l'action militaire. Au tout début, le gros de sa puissance de tir était dirigé contre Homs, d'où était originaire ma tortue. L'un des premiers foyers d'insurrection, Homs est la troisième ville syrienne, où sunnites, chiites, alaouites et chrétiens vivent côte à côte, exactement comme à Alep. Le peuple n'a rien lâché, notamment dans le vieux quartier de Baba Amr, quand bien même les forces d'Assad rasaient tout. Bientôt, l'endroit est devenu la capitale de la révolution. Nous pensions qu'en découvrant les massacres les puissances occidentales interviendraient, comme elles l'avaient fait en Libye. Là-bas, elles avaient imposé une zone d'exclusion aérienne pour empêcher le colonel Kadhafi d'user de son armée de l'air contre les manifestants et, depuis le mois d'avril 2011, elles lançaient des frappes aériennes contre les cibles du régime, telles que le camp militaire de Kadhafi à Tripoli, et venaient en aide aux rebelles. En août, ces derniers avaient pris le contrôle de Tripoli. En octobre, Kadhafi était mort, fait comme un rat dans son trou, son cadavre exhibé dans un congélateur, ainsi qu'il l'avait fait subir à ses opposants. Mais notre opposition était divisée, et l'Occident ne semblait pas savoir comment réagir. Les étrangers ont commencé à quitter le pays et les ambassades à fermer. A la fin de l'année 2011, la majeure partie du pays n'était qu'un champ de bataille à ciel ouvert entre la résistance et l'armée. D'après Mustafa, c'était la cause du chaos, ce qui était pratique pour son entreprise étant donné qu'il n'avait pas à payer les droits de douane. C'est alors que l'ASL a commencé à mettre en place des postes de contrôle dans son secteur, exactement comme le régime. Comme Yaba s'inquiétait pour lui, Mustafa s'est abstenu de nous en dire trop.

Curieusement, tout ceci nous semblait très loin, pas uniquement pour moi depuis mon cinquième étage du numéro 19 de la rue George al-Aswad, mais aussi pour Bland et mes sœurs. Nous habitions dans la plus grande ville du pays, pour autant Alep n'avait pas vraiment rejoint la révolution. Alep était le cœur commercial et industriel de la Syrie et comptait un grand nombre de riches, ce qui expliquait peut-être que de nombreuses personnes restaient loyales au régime, effrayées qu'elles étaient des conséquences de l'instabilité sur leurs activités. Nous comptions en outre de nombreuses minorités, dont certaines étaient chrétiennes : Turkmènes, Arméniens, Assyriens, Juifs, Circassiens, Grecs et bien entendu Kurdes, qui hésitaient à rallier l'opposition constituée essentiellement d'Arabes sunnites qui, disait-on, bénéficiaient de l'aide de l'Arabie saoudite et du Qatar. C'était étrange, comme s'il y avait deux mondes parallèles. La révolution était là, des gens mouraient chaque jour et Homs était détruite, pourtant ici à Alep les gens allaient au cinéma, organisaient des pique-niques, et construisaient de grands bâtiments comme si rien n'avait changé. C'était absurde.

La bonne nouvelle, c'est qu'à cette époque j'ai arrêté d'avoir des crises d'asthme.

5

Une ville divisée

Alep, 2012

On dit que l'histoire est écrite par les vainqueurs, mais il y a quelque chose que je ne comprends pas : pourquoi est-ce que nous sommes toujours fascinés par les méchants ? Ils ont fait des choses horribles, et pourtant nous parlons d'eux comme de chefs militaires brillants et charismatiques. Quand j'apprenais à lire et à écrire, ma troisième sœur, Nahra, me faisait recopier à l'infini des phrases en arabe. L'une d'elles disait : « Alexandre est un grand héros. » Plus tard, j'ai découvert que c'était un garçon égoïste et gâté, et je me suis sentie trompée.

Je déteste le fait que je ne connaissais rien sur les bonnes gens mais tout sur les mauvais. Je ne sais vraiment rien de la vie de Gandhi ni de celle de Nelson Mandela. Jusqu'à la Coupe du monde en Afrique du Sud, je n'avais pas entendu parler de Mandela. Alors pourquoi j'en sais autant sur Staline et Hitler ?

Je peux par exemple vous dire qu'Hitler est né le 20 avril 1889, que son père s'appelait Alois, et sa mère Klara, qu'elle est morte d'un cancer du sein et qu'il en a été profondément affecté. Puis il a voulu devenir artiste mais on l'a refusé par deux fois à l'académie des beaux-arts de Vienne et, comme il pensait que le comité de sélection était majoritairement composé de Juifs, c'est ainsi que l'Holocauste a commencé. Il était amoureux de sa nièce Geli, qui s'est tuée quand il l'a quittée, puis d'Eva Braun, qui s'est suicidée avec lui dans un bunker à Berlin.

Staline a tué 6 millions de personnes dans ses goulags et pendant les Grandes Purges. Le régime d'Hitler a été encore plus meurtrier : 11 millions de morts et 17 millions de réfugiés. Je peux vous parler de Staline et d'Hitler, mais d'aucune de leurs victimes. Est-ce que ce sera la même chose avec Assad dans cinquante ans ? Sans doute. Les gens sauront tout de lui mais rien des bonnes gens de la Syrie. Nous ne serons que des nombres, Nasrine, Bland, moi et tous les autres, tandis que le tyran entrera dans l'Histoire. Cette pensée est effrayante.

Lorsque la révolution est enfin arrivée à Alep, au printemps 2012, on aurait dit que tout le monde se réveillait d'un long sommeil, comme le matin quand la lumière filtre dans l'appartement et met en relief la poussière et les toiles d'araignée.

Nasrine était contente que les premières personnes à manifester soient les étudiants de l'université. Le 3 mai, en se rendant à son cours de physique, elle était tombée sur une grande manifestation qui exigeait le départ d'Assad. Ses amis et elle s'étaient joints au mouvement et à l'enthousiasme de manifester pour la première fois de leur vie, à dire des choses qu'ils n'avaient jamais pu dire auparavant. Puis soudain ils avaient entendu un énorme fracas, et les yeux de Nasrine, pleins de larmes, s'étaient mis à lui brûler. Elle s'était enfuie en courant. La peur était palpable car nous avions conscience du type de régime qu'était le nôtre : pour ceux qui se faisaient arrêter, c'était la mort assurée, voire pour toute leur famille aussi.

Cette nuit-là, Nasrine a reçu un message d'un ami vivant à l'université, qui disait que les forces de sécurité avaient pris d'assaut les dortoirs en hurlant dans des porte-voix l'ordre à tout le monde de partir, avant de tirer des gaz lacrymogènes et des balles pour les disperser. Certains étudiants avaient protesté, refusant de sortir : on leur avait tiré dessus et quatre étaient morts. Plus tard cette nuit-là, des images d'un étudiant mort, la chemise ensanglantée, et d'un dortoir en feu sont apparues sur Facebook.

Bien évidemment les étudiants étaient indignés, et lorsqu'une délégation d'observateurs des Nations unies est arrivée de Damas pour voir ce qui s'était passé, ils ont afflué en manifestations encore plus importantes, de dix mille étudiants peut-être, et ont diffusé le rassemblement en direct sur Internet pour que tout le monde puisse le regarder. Le lendemain, après la prière du vendredi, ils sont de nouveau descendus dans la rue en brandissant des photos des victimes, accompagnées des mots « Héros de l'université d'Alep ». Les slogans « Assad dehors ! » et « Le peuple veut renverser le régime », celui-là même utilisé en Egypte, revenaient inlassablement.

Yaba avait dit à Nasrine de ne pas y aller. « Quoi ? Tu penses qu'une poignée d'étudiants va soumettre ce régime ? C'est vous qu'ils vont soumettre. » Mais je savais qu'elle irait quand même. A son retour, elle était très silencieuse, et elle n'y est jamais retournée. Je sais que ma famille faisait le tri dans ce qui m'était dit car ils pensaient que je ne serais pas capable d'affronter la vérité, mais j'ai découvert plus tard que plusieurs personnes avaient été rouées de coups, qu'on les avait obligées à embrasser des affiches d'Assad. Nasrine avait vu de ses propres yeux un des manifestants — un étudiant de deuxième année d'architecture du nom d'Ibrahim — se faire entraîner par les forces de sécurité et torturer à mort avec des matraques électriques. Il était originaire de Hama. Un grand nombre de manifestants venaient de Hama et avaient perdu leurs parents dans le massacre de 1982.

Dans son département se trouvait un garçon si intelligent que tout le monde l'appelait Pythagore. Il a disparu et, à son retour, il était recouvert de bandages, même son visage n'avait plus la même forme, les autorités ont effacé toutes ses notes et il a dû redoubler son année.

Mais les manifestations ont continué. Des garçons et des filles qui ne s'étaient jusqu'alors préoccupés que de musique, de mode, de leurs études et de leurs amis se retrouvaient à essayer de renverser un dictateur. L'université était scindée en deux : une moitié des professeurs soutenait la révolution et l'autre moitié, le régime. Le directeur de l'université protégeait les étudiants manifestants. Une semaine plus tard, il a été remplacé par un partisan du régime. Finalement, tous les professeurs de l'opposition ont été exclus. Les étudiants, eux aussi, étaient scindés. Des garçons et des filles qui jusqu'alors avaient été amis se dénonçaient les uns les autres. Dans la classe de physique de Nasrine, les seize étudiants étaient séparés en deux camps. Les Kurdes, quant à eux, avaient leur propre camp car ils ne faisaient confiance à personne.

En dehors des rassemblements, certains étudiants se portaient volontaires pour ravitailler les manifestants et diffuser des comptes rendus sur les réseaux sociaux. Des dispensaires de fortune avaient vu le jour pour soigner les blessés qui risquaient d'être arrêtés et tués s'ils étaient envoyés dans des hôpitaux gouvernementaux. C'était très dangereux. En juin, une voiture brûlée a fait son apparition dans un quartier de l'est d'Alep appelé Neirab. Elle contenait trois corps calcinés et mutilés. L'un d'eux avait une blessure par balle, les mains liées dans le dos, les bras et jambes brisées. Les cadavres se sont révélés être Basel, Mus'ab et Hazem, deux étudiants de médecine et un étudiant en anglais qui avaient prodigué les premiers soins à des manifestants blessés avant de se faire capturer par les services de renseignement de l'armée de l'air une semaine plus tôt.

Même si ma famille ne me disait pas tout, un jour j'ai vu des photos d'un garçon décapité, allongé dans la rue avec un moignon sanglant à la place de la tête. Quand le vent soufflait dans la bonne direction, j'avais l'impression d'entendre la rumeur de la foule en train de scander inlassablement ses slogans comme un battement de tambour. Tant que Bland et Nasrine n'avaient pas passé la porte, Ayee et Yaba étaient tendus comme des arcs.

Les principales manifestations se déroulaient à l'est de la ville. L'ouest était sous la surveillance stricte du régime. A Sheikh Maqsoud de nouvelles silhouettes effrayantes sont apparues dans la rue : ceux que nous appelions les *shabiha*, qui veut dire « fantômes », des criminels rémunérés comme paramilitaires par le régime pour empêcher la population de manifester et nous donner le sentiment qu'ils avaient l'œil sur tout.

Nous admirions les révolutionnaires. Comme eux, nous souhaitions le changement, nous ne voulions plus être dirigés par la même famille depuis plus de quarante ans, mais surtout nous voulions rester en vie. Mustafa disait que la révolution était intéressante pour les personnes de dix-sept à vingt et un ans, mais pas pour les gens comme lui qui étaient plus âgés et travaillaient pour nourrir leur famille. Il disait aussi qu'on avait payé des gens à Kobané pour qu'ils aillent aux manifestations. Nasrine avait une chanson prorévolution sur son téléphone et, en me remémorant ce qu'elle avait dit à Yaba sur ce qui m'arriverait s'ils mouraient, j'ai pensé avec angoisse que mes frères et sœurs se seraient peut-être davantage impliqués s'ils n'avaient pas eu à se préoccuper de moi. Parfois, quand je repense à cette période, je me dis que j'aurais aimé être plus vieille à ce moment-là pour être en mesure de changer les choses. A part écouter les chansons contestataires, je ne pouvais rien faire. Je n'ai même pas eu l'occasion de déchirer une affiche d'Assad !

Comme nous l'avions vu ailleurs en Syrie, la révolution était rapidement suivie par la guerre. Assad avait intensifié l'action de l'armée et, au début de l'année, avait concentré ses efforts sur la ville centrale de Homs, comme pour en faire un exemple : ses forces pilonnaient de tirs de mortier et d'artillerie les bastions rebelles tandis que leurs bombardements réduisaient en poussière des bâtiments vieux de plusieurs siècles, avec leurs habitants. Des enfants, des journalistes étrangers étaient tués, et la ville était maintenue en état de siège, prenant au piège sans aucune nourriture, eau ni médicaments les familles qui n'avaient pas fui.

Bien que le régime ait finalement repoussé les rebelles, de nombreux Syriens d'ailleurs étaient révoltés par la manière employée. Comme les étudiants d'Alep, les gens avaient le sentiment qu'ils ne pouvaient plus rester sans rien dire. Loin d'être intimidées, davantage de villes ont rejoint le combat.

Mustafa disait qu'Assad perdait de larges portions du territoire syrien en se concentrant sur Damas, Homs et les deux provinces côtières sur la Méditerranée, et que les rebelles s'emparaient des zones rurales. Ils avaient également saisi des postes frontaliers avec la Turquie et l'Irak. Mais au prix fort : peut-être dix mille personnes avaient trouvé la mort. Il nous racontait que les gens achetaient des souverains d'or parce qu'ils s'inquiétaient de ce que la livre syrienne allait perdre toute sa valeur.

Yaba faisait claquer son *komboloï* en disant que ça ne pouvait qu'empirer. Tandis que les premières lignes s'enlisaient dans l'impasse, les rebelles se sont procurés des armes plus efficaces, certaines saisies sur des bases de l'armée syrienne et d'autres passées en contrebande depuis la Turquie, la Jordanie et le Liban et financées par le Qatar et l'Arabie saoudite, tandis qu'Assad était soutenu par la Russie, la Chine et l'Iran. Il apparaissait évident que le reste du monde n'allait pas l'arrêter.

Notre guerre à nous a débuté pendant le ramadan — le mois de jeûne lorsque tout le monde devient irascible — dans la chaleur et la poussière de juillet 2012. Elle est survenue très soudainement. Du jour au lendemain ou presque, les rebelles ont envahi Alep depuis la campagne. Dans un premier temps, ils ont avancé rapidement, prenant en quelques jours le contrôle de quartiers dans le nord-est, le sud et l'ouest. Le nôtre, Sheikh Maqsoud, était sous la mainmise de la milice kurde, les YPG. Mais l'offensive n'a pas été décisive, et a laissé la ville divisée. Les rebelles contrôlaient l'est et les forces du régime l'ouest, et certaines portions changeaient de main quotidiennement. Bientôt les combats ont atteint les portes de la vieille ville.

Nous étions terrorisés. Avec l'ASL à l'intérieur de la ville, le régime allait envoyer ses tanks. En plus, les gens n'étaient pas très sûrs de l'ASL, étant donné que toutes sortes de groupes avaient rejoint cette formation, y compris des organisations criminelles. Mes frères aînés Shiar et Farhad, qui suivaient ce qui se passait depuis l'Europe sur YouTube et Facebook, n'arrêtaient pas d'appeler et de dire à mes parents : « Partez, quittez Alep, cet endroit épouvantable, c'est dangereux ! »

Dans les rues que les rebelles n'avaient pas envahies, les *shabiha* sont apparus et ont aussitôt semé la terreur. Les gens fuyaient souvent à leur arrivée. C'était d'ailleurs l'idée. Certains voisins racontaient à voix basse des histoires de viols que je n'étais pas censée entendre. J'étais inquiète pour Nasrine. Bien que zone sous contrôle gouvernemental, l'université était devenue un foyer de manifestations contre le gouvernement et de nombreuses personnes y trouvaient refuge. Nasrine n'a plus pu aller en cours parce que, pour s'y rendre, elle devait franchir la ligne de front, alors elle est restée à la maison.

Comme les combats se poursuivaient, nous avons pris peur que Bland ne soit enrôlé. De tous mes frères, seul Mustafa avait fait son service militaire. Shiar et Farhad avaient demandé l'asile à l'étranger, tandis que Bland avait été en mesure de le reporter en raison de ses études à l'université. Avec la guerre, les troupes d'Assad se retrouvaient éparses sur le terrain, incapables de livrer bataille sur tous les fronts. Par conséquent, elles faisaient venir des combattants de leur vieil allié Hezbollah tout en accélérant la conscription. Seuls ceux qui avaient des relations et beaucoup d'argent pouvaient y échapper. A la télévision syrienne, les soldats étaient présentés comme des êtres héroïques, mais nous savions tous que l'enrôlement dans l'armée d'Assad impliquait de tuer des femmes et des enfants. Nous priions pour ne pas devenir leurs victimes.

*
* *

Le bruit était incessant. J'essayais de me couvrir les oreilles et de monter le volume du téléviseur, mais rien ne parvenait à masquer le vrombissement des hélicoptères de combat qui partaient bombarder les zones occupées par les rebelles, bientôt suivi par le tak-tak-tak des coups de feu.

Parfois j'étais seule quand ça commençait, les membres de ma famille étaient au travail, à l'université, à faire les courses. Au cinquième étage du 19, rue George al-Aswad, je regardais *Des jours et des vies* en essayant de ne pas penser à ce qui se passerait si une bombe tombait et que le sol s'effondrait sous moi. A quoi serviraient alors toutes les informations que j'avais recueillies ? J'avais tant de choses à faire, encore tant de choses à apprendre, je n'avais pas envie de mourir. Même si je suis musulmane et que nous croyons au destin, je ne voulais pas partir avant d'avoir fait tout ça.

Assad, qui ne pouvait pas se permettre de perdre Alep, avait eu recours au déploiement d'hélicoptères et d'avions de combat, que nous entendions passer au-dessus de nos têtes, comme des abeilles en colère, pour larguer leurs cargaisons mortelles. Comme pour Homs, son principe était d'anéantir un quartier rebelle par des tirs d'artillerie ou des bombes, de boucler les ruines et de forcer les rebelles à se rendre. Au début, les bombes étaient très éloignées. Et puis, elles ont commencé à cibler un quartier près du nôtre, appelé Bustan al-Basha, qui était sous contrôle de l'ASL. Nos YPG n'avaient pas laissé entrer l'Armée syrienne libre, mais tout le monde disait qu'elle entrerait bientôt à Sheikh Maqsoud, et qu'alors le régime nous bombarderait nous aussi.

Est-ce que les oiseaux sentent arriver les bombardements ? C'est l'impression que j'avais. Ils arrêtaient de chanter, l'atmosphère se tendait en silence comme si le temps restait suspendu, puis venait le vrombissement des avions qui nous survolaient sans relâche. Une fois, j'ai vu un documentaire qui disait qu'on peut dresser les abeilles à flairer les engins explosifs — c'est étrange, non ?

Quand les raids ont commencé, les gens se précipitaient dans des abris souterrains. Evidemment, je ne pouvais pas y aller et, comme ma famille ne voulait pas m'abandonner, nous restions tous au cinquième étage dans le tremblement du bâtiment et des fenêtres, à essayer de ne pas céder à la panique. Souvent, je me mettais à pleurer, mais j'avais le droit parce que j'étais la plus jeune et que j'étais handicapée.

Une fois les bombardiers partis, mes frères et sœurs sortaient sur le balcon d'où l'on apercevait des colonnes de fumée grise s'élever des zones pilonnées. Je les ai suivis une fois, mais pas deux. C'était un sentiment atroce de se dire qu'à ces endroits des gens avaient sans aucun doute trouvé la mort et que des familles comme la nôtre étaient ensevelies sous le béton. Un sentiment mêlé de soulagement, parce que ce n'était pas nous. Est-ce mal ? Pourvu que Sriaa la tortue soit entre de bonnes mains !

Bientôt, il y a eu un autre bruit : celui des coups de marteau. Dans notre pâté de maisons, les gens avaient commencé à partir et, avant de se mettre en route, ils clouaient des tôles de métal sur leurs portes, par peur des pillards. Ceux qui avaient de l'argent et des passeports prenaient l'avion, les autres prenaient la route de Damas, de la campagne ou de l'étranger pour rejoindre le Liban où beaucoup avaient de la famille et où il y avait des camps pour ceux qui n'en avaient pas.

Chaque jour nous apprenions que de plus en plus de

connaissances étaient parties. Shiar et Farhad n'arrêtaient pas de téléphoner, exhortant mes parents à fuir, mais Yaba avait peur que les routes ne soient bloquées. De nous tous, mon père était le plus affecté par les bombardements. Pourtant, il disait que sa pire hantise n'était pas d'être bombardé, mais que les tanks de l'armée entrent dans la ville.

Finalement, mes parents ont accepté de partir. L'idée était de retourner sur la Colline des étrangers dans l'épouvantable ville de Manbij, qui avait été libérée par l'ASL le 20 juillet — la première agglomération majeure à tomber sous le contrôle des rebelles. Je me souviens de ce jour-là, de ma mère disant qu'on passerait la fête de l'Aïd là-bas, dans notre ancienne maison de Manbij, parce que c'était le ramadan, et puis qu'on rentrerait, mais j'avais le sentiment qu'elle disait ça pour moi et qu'en réalité on ne reviendrait jamais à Alep. Mais quelle était l'alternative ? Les bombardements devenaient si intensifs qu'au cours des trois nuits précédant notre départ nous n'avons pas fermé l'œil et que j'ai vraiment cru qu'on allait mourir.

Je n'aimais pas les bombardements, mais je n'avais pas envie de retourner à Manbij au milieu des chats et des chiens. Pour notre dernier repas à Alep nous avons mangé de la pizza. Comme c'était le ramadan, nous ne pouvions manger qu'après le coucher du soleil — ce que nous appelons l'*iftar*, notre rupture du jeûne. Contrairement au reste de ma famille, je ne jeûnais pas (autre avantage du handicap). J'ai mangé de la pizza aux champignons, ma préférée. Pendant le repas, ma sœur Jamila a appelé : « Vous savez quoi ? Un hélicoptère vient de bombarder Manbij. Peut-être que ce n'est pas une bonne idée de venir. » J'étais contente d'entendre la nouvelle, pensant que mes parents allaient changer d'avis et m'épargner cet endroit atroce. Mais non.

Nous sommes partis le vendredi 27 juillet 2012, au huitième jour du ramadan, alors que le régime bombardait le quartier d'à côté, et, à ce moment-là j'ignorais que je ne reverrais jamais mon chez-moi. En tout dernier j'ai regardé les actualités sportives à la télé, puis je me suis brossé les cheveux. Nous n'avons pas recouvert notre entrée de métal. Ayee s'est contentée d'arroser les plantes, de laisser les fenêtres ouvertes et de fermer la porte à clé. Je suis partie sans me retourner.

Plus tard, j'ai regretté de ne pas avoir laissé des traces de mon passage que quelqu'un aurait pu découvrir des années plus tard, comme une liste de mes dix génies préférés (numéro un : Léonard de Vinci), pour que les gens puissent se dire qu'un jour avait habité là une fille qui ne pouvait pas marcher mais qui savait des tas de choses.

Mustafa avait fait le nécessaire pour qu'un minibus vienne nous chercher, Bland, Nasrine, mes parents et moi. Il n'y avait pas beaucoup de place, et de toute façon nous faisions semblant que la situation n'était que temporaire, donc nous n'avons emporté que quelques vêtements, l'ordinateur portable, des photos et documents importants, et bien entendu le téléviseur. En quittant la ville, nous avons vu des bâtiments à moitié recouverts par les décombres, comme s'ils s'étaient effondrés. Les routes débordaient de centaines de personnes. On aurait dit que la ville entière d'Alep, apeurée, fuyait à la campagne, en désertant littéralement la table du petit déjeuner.

Nous avons dû passer plusieurs postes de contrôle ; d'abord ceux du régime aux abords de la ville, puis ceux des rebelles. A ceux du régime, je retenais ma respiration. J'avais peur qu'ils ne se rendent compte que Bland n'avait pas fait son service militaire et qu'ils l'emmènent. A cause des postes de contrôle et de tous les autres véhicules, nous avons mis trois heures à parcourir les 90 kilomètres au lieu de l'heure et demie habituelle. Mais nous étions partis juste à temps. Le jour d'après, mon oncle et ma tante ont mis sept heures et demie.

Nous n'avions aucune idée de ce que serait Manbij sous le contrôle de l'ASL. C'était une sorte de test pour la Syrie. En entrant dans la ville, nous avons aperçu des banderoles proclamant « Liberté » et un homme portant un T-shirt représentant Che Guevara mais, à part ça, rien ne semblait différent.

Notre maison n'avait pas changé, et j'étais mécontente d'être de retour ici, avec la famille de chats blanc et orange démoniaques sur le toit et l'arbre noir qui faisait peur. Le gang des chats s'était multiplié, et le plus gros avait une sorte de tumeur à la gorge qui le rendait encore plus effrayant. Comme avec l'été il faisait une chaleur terrible dans la maison, nous dormions sur le toit. J'ai beaucoup pleuré pendant cette première nuit, en priant Dieu d'arrêter les combats pour qu'on puisse rentrer à la maison. Le seul point positif, c'est qu'on pouvait de nouveau voir les étoiles. Les étoiles et la beauté du silence. Même Assad ne pouvait pas gâcher ça.

Comme le croissant de lune du ramadan grossissait, on pouvait distinguer les taches foncées et claires que dessinaient ses mers et montagnes. Je me suis rappelé tous les documentaires que j'avais vus sur l'espace et les astronautes. « Je me demande ce que Neil Armstrong a bien pu voir et ressentir là-haut sur la Lune », ai-je dit à Ayee. « Dors », a-t-elle grommelé. J'avais du mal à trouver le sommeil. J'étais harcelée par des moustiques qui avaient l'air de penser que ma peau était délicieuse. Ravie de plaire à quelqu'un ! Le lendemain, j'étais couverte de piqûres et je n'arrêtais pas de me gratter en regardant la cérémonie d'ouverture des JO de Londres à la télé. J'étais contente de voir la reine. Il y avait même une vidéo d'elle rencontrant James Bond. Je serais une vraie boule de nerfs si je devais rencontrer la reine.

J'étais encore fâchée d'être à Manbij. Mais en réalité nous avions de la chance. La semaine qui a suivi notre départ, le régime a commencé à lancer des bombes barils sur Alep — ce sont littéralement des barils remplis de ferraille et de produits chimiques, largués par des hélicoptères, qui en explosant entraînaient sans aucune distinction des destructions épouvantables sur des kilomètres à la ronde. Beaucoup de combats se déroulaient autour de la vieille ville. Après des siècles de paix et de touristes, la citadelle reprenait ses fonctions de forteresse pour les troupes du régime. L'enceinte médiévale leur servait de barrière de protection, les anciennes meurtrières, de postes de tir, tandis que les snipers prenaient position dans les tours.

Le souk et le bazar couvert s'étaient transformés en première ligne. Avant, mes sœurs adoraient aller là-bas et m'avaient parlé de ces kilomètres d'allées magiques où l'on trouvait tout, des célèbres savons aux soies les plus fines, et où l'on pouvait se prélasser dans des bains turcs, siroter du thé ou bavarder dans des caravansérails carrelés. Une fois, j'avais confié à Nasrine tout l'argent que j'avais économisé de la fête de l'Aïd et de mes anniversaires, et elle m'avait acheté une chaîne en or, la plus précieuse de toutes mes possessions. Désormais, l'endroit était la cible de snipers rivaux et de tirs d'obus quotidiens. En septembre, nous avons vu à la télévision que le vieux souk avait été incendié. Des siècles d'histoire réduits en cendres.

A la fin de l'année 2012 la bataille d'Alep semblait ne devoir jamais finir. C'était une véritable guerre avec, d'un côté, Assad et le Hezbollah et, de l'autre, toutes sortes de groupes rebelles, dont des organisations criminelles et Jabhat al-Nosra (également connu sous le nom de Front al-Nosra), qui est la branche d'Al-Qaïda en Syrie. Chaque quartier était désormais un fief contrôlé par un groupe rebelle différent. Le régime anéantissait des arrondissements entiers tandis que l'opposition avait coupé quasiment toutes les routes d'approvisionnement vers la ville.

Mieux valait être dans la partie ouest, qui était contrôlée par le régime. Nos amis et parents encore sur place disaient qu'à l'est il n'y avait plus de combustible pour cuisiner et qu'on avait arraché l'écorce et les branches des arbres. Pour avoir de la nourriture, il fallait attendre dans de longues files qui se faisaient parfois bombarder, et les familles allaient jusqu'à fouiller dans les décharges pour trouver des restes, comme dans les pays d'Afrique pauvres.

Certains pensaient que le Jour du Jugement arrivait, tel que notre Prophète l'avait annoncé.

6

Notre guerre à nous

Manbij, été 2012

Je regardais une émission sur le bombardement de Dresde, ce qui agaçait Ayee.

— Pourquoi regardes-tu tout le temps ces vieux films de guerre ? Nous avons notre guerre à nous.

— Un jour, dans cinquante ou cent ans, tout le monde étudiera notre guerre, ai-je répliqué.

J'aimais m'instruire sur la Première et la Deuxième Guerres mondiales. Je n'arrivais pas à croire que Gavrilo Princip, qui avait abattu l'archiduc François-Ferdinand et ce faisant déclenché la Première Guerre mondiale, était un adolescent serbe d'à peine dix-sept ans. Merci, Gavrilo, d'avoir bousillé le monde !

Puis il y a eu une panne d'électricité, ce qui était râlant car c'était presque l'heure de *Masterchef*, version américaine, qui se révélait passionnant depuis qu'une jeune Vietnamienne aveugle du nom de Christine Ha concourait au jeu et que je voulais qu'elle gagne. Comment pouvait-elle cuisiner comme ça alors qu'elle était aveugle ? Ça m'a fait penser que les gens devaient se trouver au bon endroit au bon moment pour pouvoir briller. Comme Lionel Messi, le garçon de petite taille dont tout le monde se moquait à cause des hormones de croissance, qui est aujourd'hui le meilleur footballeur au monde. Je n'étais pas sûre d'être à la bonne place. Si j'avais été ailleurs, j'aurais pu être ce jeune Américain de quinze ans qui a inventé un moyen de détecter le cancer du pancréas après qu'un de ses amis proches avait succombé à cette maladie. J'ai envie de me rendre utile. Le sentiment de ne rien faire est terrible. Mais je suis convaincue que tout le monde est sur terre pour une raison. Je n'avais pas encore trouvé la mienne.

Depuis le début de la guerre, nous avions sans cesse des coupures de courant. Avec la proximité du barrage, Manbij s'en sortait mieux que d'autres endroits. Mais nous étions rationnés : certains jours il n'y avait pas d'électricité ; d'autres, pas d'eau. Nous avons pris l'habitude de tout remplir d'eau dès qu'on en avait. La nuit, la rue était plongée dans le noir parce qu'il n'y avait pas de réverbères. Toutes les maisons étaient équipées de bougies et de lampes de poche. Quand il n'y avait ni électricité ni télé, il n'y avait rien d'autre à faire sinon écouter la guerre. J'entendais tout, le vrom-vrom-vrom des avions, suivi du tak-tak-tak des fusils.

Je me plaignais quasiment tous les jours : « Pourquoi nous avez-vous amenés ici ? » Nous avions quitté Alep pour fuir la guerre, mais elle était arrivée à Manbij où le régime tentait de chasser l'ASL à grand renfort de bombardements. Un lycée situé près de chez nous servait de QG à l'Armée syrienne libre, et la zone se faisait copieusement bombarder. Je trouvais notre démarche totalement insensée. Dans le ciel, la silhouette des avions faisait penser aux bombardiers en piqué de la Seconde

une utilité précise, alors que je ne voyais pas en quoi je pouvais servir à quiconque. Le ramadan et l'Aïd étaient passés, et nous n'étions pas rentrés à Alep comme promis. Après cet épisode, j'ai hurlé à Ayee : « Tu m'as menti ! On ne va pas rentrer, c'est ça ? »

Une autre nuit, nous étions à la maison. Yaba était en train de prier et Ayee et moi étions assises à ne rien faire à cause d'une coupure de courant, les fenêtres grandes ouvertes parce que nous ne pouvions pas utiliser les ventilateurs. Soudain, un avion de l'armée a bombardé la rue juste derrière chez nous. Tout s'est mis à trembler ; des morceaux de ciment et de boue séchée ont giclé des murs ; les portails et les fenêtres ont été fracassés par le souffle.

« Bombe à fragmentation », a commenté Ayee. J'avais tellement peur que je me suis couchée sur le dos, la bouche ouverte. On aurait dit que j'étais morte. Ayee s'est allongée à côté de moi et m'a prise dans ses bras. Puis un autre avion s'est mis à rôder dans les parages en faisant des allers et retours non-stop. C'était insupportable.

— Va-t'en ! ai-je hurlé à l'attention de l'avion. Va-t'en, va-t'en, va-t'en !

Le téléphone d'Ayee s'est mis à sonner. Nasrine, depuis le toit de la maison de Jamila, voyait tomber les bombes juste à côté de notre maison. Elle était terrifiée.

Les avions ont fini par s'en aller. Lorsque le courant est revenu, j'ai regardé une série dramatique turque intitulée *Samar* pendant qu'Ayee, armée d'un balai, nettoyait le verre brisé et les gravats.

Le lendemain, on a découvert qu'ils avaient bombardé des funérailles qui avaient lieu dans la rue derrière notre maison, tuant cinq personnes et en blessant des dizaines d'autres. L'explosion avait été si puissante que la jambe d'une femme avait été projetée dans l'arbre. Nos voisins nous ont raconté qu'un espion du quartier avait appelé le régime pour l'informer qu'il y aurait des personnes importantes à cet enterrement. Ce qui était faux : c'étaient juste des gens ordinaires, comme nous, qui essayaient de vivre leur vie. A présent cet enterrement s'était transformé en cinq autres enterrements.

Au bout d'un moment, on s'est tellement habitués aux bombardements qu'un jour je me suis rendu compte que j'avais oublié ce qu'était la normalité. Contrairement à Nasrine et à Bland qui se précipitaient sur le toit, je ne voulais pas regarder les bombardements. Je savais qu'ils laisseraient une cicatrice sur ma psyché. J'avais vu des émissions sur la psychologie et je ne voulais pas me transformer en sociopathe ou en tueuse en série. Mes frères et sœurs n'avaient pas l'air de s'inquiéter de ce genre de choses.

Nasrine a même tenté de poursuivre ses études. Au début de l'année 2013, elle a insisté pour retourner à l'université pour une épreuve écrite de physique. Nous étions très inquiets, sachant que l'université avait été bombardée le premier jour des examens, en janvier. La nuit d'avant, elle a récité la prière du voyageur. A cause du grand détour qu'elle a dû faire pour éviter les premières lignes de combat, elle a mis dix-sept heures à arriver. Son minibus était conduit par un bénévole qui appelait en amont pour savoir quels endroits éviter, et lorsqu'ils sont entrés dans Alep par l'est, sur la rue Tariq el-Bab, ils ont dû descendre plein sud, puis à l'ouest pour contourner la vieille ville, théâtre des principaux combats. Malgré cela, ma sœur a dû franchir une ligne de démarcation, passant d'abord un poste de contrôle de l'ASL puis un du régime, avec entre les deux une allée de snipers. Lorsqu'elle a traversé en courant, elle a vu quatre cadavres qui jonchaient la rue. Personne ne voulait les ramasser à cause des snipers, et ils se faisaient dévorer par les chiens. Après ça, Nasrine n'a pas une seule fois parlé de retourner à Alep. Et d'ailleurs, elle n'a jamais eu le résultat de son épreuve.

Personne ne savait vraiment qui était responsable de quoi à Manbij. Au centre de la ville se dressait un bâtiment du nom de Serai, qui avait accueilli les tribunaux ainsi que les bureaux du maire et de la police. Les fonctionnaires du régime et de la police étaient soit partis, soit passés aux rebelles : il y avait désormais un conseil révolutionnaire composé d'ingénieurs, de religieux, d'un pharmacien, d'un ancien officier des renseignements qui fumait comme un pompier, d'un avocat, d'un fabricant de céramique et d'un poète qui avait passé quinze ans en prison.

Certaines choses allaient bien. Les magasins étaient ouverts, y compris les marchands d'or, et deux journaux indépendants avaient vu le jour, dont un baptisé *Les Rues de la liberté*, qui regorgeait d'articles anti-Assad, avec une bande dessinée qui le surnommait « Beecho » ou « bébé Bachar ». C'était du jamais-vu.

Parmi les choses qui n'allaient pas, il y avait tous les militants armés qui sillonnaient la ville. Bland disait qu'on comptait quarante-sept brigades distinctes. La principale était dirigée par un commandant qui se faisait appeler Prince et se déplaçait au volant d'un pick-up Toyota Hilux blanc rempli d'hommes en armes. C'était un homme de petite taille au cou épais. Petit délinquant avant la guerre, il avait pris du galon en plein chaos révolutionnaire en kidnappant des gens riches et en achetant avec leur argent des voitures et des armes pour ses partisans. Mustafa nous a raconté qu'il avait volé 20 millions de lires turques au propriétaire d'une station-service qui stockait du carburant.

Toutes les brigades peignaient leur nom sur les flancs de leurs pick-up avant de les camoufler sous une couche de boue pour ne pas se faire bombarder par les avions du régime. Parfois, elles se battaient entre elles : un jour, un échange de coups de feu a éclaté entre deux tribus après que les hommes de l'une avaient kidnappé des gens de l'autre. La nuit, les habitants formaient des groupes pour protéger leurs propres pâtés de maisons.

Le régime d'Assad était bien entendu furieux d'avoir perdu Manbij et, puisqu'il ne pouvait pas l'avoir, semblait faire le nécessaire pour que les rebelles ne l'aient pas non plus, comme des enfants détruisant leurs jouets respectifs. Le régime bombardait donc les canalisations d'eau, les silos à grain et les bâtiments administratifs. N'oubliez pas : on est des êtres humains, pas des jouets ! Les rebelles n'avaient pas de quoi riposter contre les frappes aériennes. En plus de cela ils n'avaient pas d'argent pour administrer la ville. Comme il n'y avait pas de gouvernement, je suppose que c'était officiellement le chaos et, pour celles et ceux qui voulaient divorcer, se marier ou avoir un enfant, il n'y avait pas de documents administratifs et rien n'était enregistré. Et aucune école ne fonctionnait.

Les gens se plaignaient de ne pas avoir d'eau et de ne plus recevoir leurs pensions. En outre, le régime avait coupé Internet, ce qui était très agaçant pour les personnes comme moi en quête d'informations. La seule raison pour laquelle nous avions de l'électricité était notre proximité avec le barrage, qui fournit une grande partie de la Syrie. Si l'approvisionnement était coupé, alors les rebelles risquaient de bombarder toute l'installation.

Le carburant, qui était acheminé en contrebande, coûtait une fortune. Au souk, on trouvait quantité de vêtements et d'appareils électroménagers dont on disait qu'ils avaient été pillés à Alep chez les gens qui avaient fui. Alors nous n'achetions rien, même si c'était un peu le camping à la maison étant donné qu'on avait quasiment tout laissé derrière nous. Et si nos objets personnels réémergeaient au bazar ? En revanche, il nous fallait du pain, et les files d'attente s'allongeaient devant les boulangeries.

L'autre problème de la guerre, c'est qu'on ne sait jamais de quoi aujourd'hui sera fait. Un jour, Nasrine et Ayee étaient allées à leur magasin de vêtements préféré au souk pour faire des achats pour un mariage. En chemin elles passaient devant une autre boutique lorsqu'une veste longue avait attiré le regard de Nasrine. Ayee voulait continuer, mais Nasrine peut être têtue. Elles se sont donc arrêtées pour qu'elle puisse l'essayer. Nasrine venait de passer la veste lorsqu'elles ont entendu les avions, suivis d'une explosion. L'endroit où elles se rendaient avait été bombardé et trois personnes avaient été tuées, dont le propriétaire du magasin en question. « Cette veste nous a sauvé la vie », devait affirmer Nasrine après coup. Plus tard, elle a appris qu'une ancienne camarade de classe, Evelin, faisait ses emplettes là-bas : l'explosion lui avait arraché les deux jambes et avait tué son mari.

Les bombardements n'étaient pas le seul problème. Mustafa parcourait près de 2 000 kilomètres par semaine pour acheminer ses camions. Il expliquait qu'avant la révolution on pouvait dormir dans le désert sans aucune crainte de se faire approcher ou voler. A présent tout avait changé. Les postes de contrôle de l'ASL avaient tous commencé à exiger de l'argent (parfois des milliers de dollars) pour les laisser passer, lui et son chauffeur. Il s'est mis à rouler de nuit sur des petites routes en évitant les postes de contrôle des autoroutes, mais ça n'était pas toujours suffisant.

Peu de temps après notre retour à Manbij, des membres de Jabhat al-Nosra ont dépouillé Mustafa de 21 000 dollars. Il avait acheté des voitures à Homs et les avait transportées avec son chauffeur à travers le pays jusqu'à Kobané en vue de les revendre. Cette nuit-là, quand ils se sont arrêtés pour dormir, il a remarqué que son chauffeur passait beaucoup de temps au téléphone. Le lendemain, ce dernier lui a annoncé qu'il avait entendu parler d'affrontements sur l'itinéraire qu'ils devaient emprunter et qu'il valait mieux passer par un village près de Deir ez-Zor, dans l'est de la Syrie. Une fois sur place ils ont été pris en embuscade par des hommes armés à bord de quatre véhicules, qui ont commencé à leur tirer dessus et ont accusé Mustafa de travailler pour le PKK (Parti des travailleurs du Kurdistan), branche armée des séparatistes kurdes. Ils ont pris tout l'argent qu'il avait gagné de la vente des voitures. Après ça, Mustafa a renvoyé son chauffeur. Il était persuadé qu'il était de connivence avec la bande.

Une autre fois, quelques mois plus tard, il s'est fait dépouiller par d'autres militants sur la route de al-Hasakah où se déroulaient des affrontements entre deux villages. Des hommes armés l'ont arrêté et interrogé : « Tu es kurde ? » Ils lui ont donné l'ordre d'attendre leur « émir », puis les ont emmenés, lui et son nouveau chauffeur, dans une école où ils retenaient d'autres Kurdes. Là-bas, ils ont saisi ses véhicules (deux camions Mercedes-Benz), lui ont piqué tout son argent liquide (soit 300 ou 400 dollars) et ses téléphones portables avant de le relâcher.

Sur le coup, Mustafa n'a rien raconté de tout ça à notre père, parce que Yaba l'aurait empêché de travailler, alors que nous dépendions financièrement de lui. Mustafa disait toujours que la guerre était bien pour les affaires parce que l'effondrement de l'ordre rendait les licences d'importation superflues et que la demande en véhicules de toutes les milices était en hausse. Mais son chauffeur transportait une caisse de bière avec lui parce qu'il avait peur. Yaba le mettait constamment en garde : « A être trop âpre au gain tu vas te faire du tort. »

Et puis il y a eu une grande nouvelle dans la famille. Peut-être pour faire taire mes parents sur les dangers de la route, Mustafa, à l'âge de trente-sept ans, a soudain accepté de se marier après dix années passées à refuser toutes les filles que lui proposait Ayee. L'heureuse élue était une cousine, du nom de Dozgeen, qui vivait dans un village près de Kobané. Pourquoi l'avoir acceptée, elle, et pas les autres, qui sait ? J'ai remercié Dieu de ne plus avoir à me boucher les oreilles à chaque fois qu'ils se disputaient sur le sujet. L'ennui est qu'il allait y avoir encore un mariage et une foule d'invités à la maison ; cette perspective ne m'enchantait guère.

Lorsque Mustafa et mon père sont allés à Kobané pour rencontrer la famille de la fille et accepter les fiançailles — le montant de la dot, et ainsi de suite —, le commandant d'un poste de contrôle de l'ASL a exigé de l'argent. Comme il les a reconnus, il n'a pris que 1 500 dollars, sans quoi Mustafa disait qu'il aurait demandé 5 000. En réalité, ils ont eu de la chance, parce qu'il transportait des bracelets, bagues et colliers en or pour la dot. Si le commandant était tombé dessus, il aurait tout raflé.

A cette époque, il y avait tout le temps des gens chez nous : des réfugiés, comme nous, qui fuyaient Alep ou d'autres villes. Ils venaient boire le thé, grignoter des pistaches, et chacun faisait le récit de sa propre migration et de sa fuite. Quand ils venaient, j'étais obligée d'éteindre la télé, ce qui m'agaçait, mais ce n'est pas uniquement pour cela que je détestais ces instants. Après leur départ, je me mettais à pleurer, et ma mère me demandait pourquoi.

— C'est comme si chacun avait sa propre chaîne télé pour diffuser des informations sur les migrants, disais-je.

— Ne sois pas triste, m'a-t-elle répondu. L'essentiel est que nous soyons ensemble et qu'il ne nous soit rien arrivé.

Sa sœur, ma tante Shamsa, et son mari, oncle Bozan, dont la fille Azmar avait étudié le droit avec Nahda puis épousé mon frère Farhad en Angleterre, avaient également quitté Alep et s'étaient installés dans la maison voisine avec leurs autres enfants. Oncle Bozan était négociant en huile d'olive. A Alep, ils étaient riches, avec une jolie maison, mais ils avaient tout abandonné, exception faite de leur belle voiture. « Tout ce que je veux, c'est que mes enfants soient en sécurité », soulignait ma tante.

Un jour de mars 2013, oncle Bozan et leur fils Mohammed ont dû se rendre à Damas pour obtenir des documents afin que Mohammed puisse étudier à l'étranger. Comme ils quittaient Manbij, un groupe armé les a mis en joue pour les faire sortir de la voiture. Ils ont empoigné Mohammed et ordonné à mon oncle d'aller chercher 2 millions de livres syriennes en échange de sa libération.

Oncle Bozan est rentré à Manbij dans tous ses états. Tout le monde a tenté de réunir la somme demandée. Le troisième jour, Jamila était venue tenir compagnie à tante Shamsa, et Nasrine s'apprêtait à leur rendre visite lorsqu'elle a poussé une exclamation en ouvrant la porte de la maison : cousin Mohammed était en train de marcher dans la rue. Le groupe armé l'avait emmené dans le désert, quelque part entre Hama et Homs, où le cheikh d'une tribu locale s'était mis en colère et leur avait ordonné de le relâcher.

Au début de l'année 2013, les forces d'Assad ont monté la barre d'un cran en commençant à tirer d'énormes missiles Scud russes sur les zones résidentielles d'Alep. Un nombre grandissant de personnes a pris la fuite. Je me disais qu'il ne devait plus rester personne dans la ville. Vous n'imaginez pas le nombre de noms qu'on reconnaissait dans les listes des morts, surtout Nasrine. Elle disait toujours : « Oh, je le connais, je la connais. » Une fois, elle a pleuré parce qu'un Scud avait touché le pâté de maisons de sa meilleure amie, Wedad, à Alep. Pendant une éternité, comme le téléphone de son amie sonnait dans le vide, Nasrine a imaginé le pire. Et puis Wedad a fini par rappeler un jour plus tard. Elle avait survécu, mais le pâté de maisons était détruit et beaucoup de personnes étaient mortes.

Je savais qu'on ne retournerait pas à Alep. Au bout de six mois à Manbij, mes parents sont allés chercher nos affaires. Yaba ne voulait pas, mais les femmes kurdes sont très impressionnantes et Mustafa plaisantait sur le fait que mon père avait plus peur de ma mère que de la guerre. En arrivant, ils ont trouvé de la poussière et des décombres partout. Notre bâtiment était le seul à tenir encore debout. Toutes les fenêtres étaient cassées, sauf les nôtres, qu'Ayee avait laissées ouvertes. On aurait dit une ville fantôme.

Peu de temps après, en avril, on a entendu dire que les

avions du régime avaient largué des produits chimiques sur Sheikh Maqsoud (des bidons qui explosaient en touchant le sol) : les victimes se mettaient à écumer de la bouche, et leurs pupilles rétrécissaient en têtes d'épingle. Parmi les morts il y avait deux bébés.

D'une certaine manière, je suis contente de n'y être jamais retournée, comme ça j'ai toujours en tête l'image de la magnifique ville que j'ai laissée derrière moi, et pas l'abominable Alep que Nasrine et mes parents ont vue. Nasrine raconte qu'elle aurait aimé ne jamais y remettre les pieds.

Le feuilleton *Des jours et des vies* est devenu ma bouée de sauvetage — la seule chose qui pouvait me faire oublier les bombardements —, et je le suivais avec passion, foudroyant du regard quiconque osait parler pendant les diffusions. La rivalité entre les familles Brady et DiMera me semblait plus réelle que ma propre vie de famille. Parfois, je criais après l'écran.

Jusqu'ici j'avais regardé *Des jours et des vies* avec des sous-titres. Et puis, un jour, je me suis aperçue que je comprenais un des mots en anglais : le mot « *anything* ».

7

Autant en emporte le vent

Manbij, Syrie, 2013

J'aimais aussi les livres (au cas où vous pensiez que je ne m'intéressais qu'à la télé). Bien entendu, je n'avais aucun moyen de m'en procurer moi-même, et je devais les emprunter à Nasrine, voire les dérober sur son étagère quand elle n'était pas à la maison. Juste avant notre retour à Manbij, elle avait eu *Autant en emporte le vent* par le beau-fils adulte de Jamila (j'ai oublié de préciser que le mari de Jamila a deux épouses, ce qui m'a un peu choquée quand je l'ai appris, bien que mon grand-père en ait eu quatre et que ce soit autorisé dans notre culture).

C'est devenu mon livre préféré. Margaret Mitchell est un vrai génie parce que, tout au long du roman, on croit qu'il va se passer quelque chose entre Scarlett O'Hara et Ashley, qu'elle poursuit de ses assiduités, quand soudain ce vaurien de Rhett Butler se pointe et se révèle être le personnage principal, et toute l'histoire se focalise sur Rhett et l'amour qu'il a pour elle, et c'est trop bluffant. J'adore ce coup de théâtre : le méchant est en réalité le personnage principal autour duquel tourne toute l'intrigue. En plus,

comme nous en Syrie, Scarlett essaie de survivre au cœur
d'une guerre civile et de garder la maison qu'elle aime.

L'avantage, avec les livres, c'est qu'on pouvait les lire
à la lampe de poche ou à la bougie, peu importe s'il y
avait du courant. L'inconvénient, c'est qu'il semblait ne
jamais y avoir de personnages en fauteuil roulant. Bon,
il y a Clara, l'amie riche dans *Heidi*, mais de toute façon
elle finit par marcher.

Même si j'adore *Autant en emporte le vent*, Scarlett
est la dernière personne au monde à qui je voudrais
ressembler. Avec sa taille de guêpe elle est magnifique,
mais elle est vaniteuse et gâtée. Je ne lui reproche pas
son comportement : elle ne connaissait rien à la vie et
quand elle voulait quelque chose — Ashley — qu'elle ne
pouvait pas avoir, elle cherchait à venger son ego blessé.
Certaines personnes pensent que les femmes sont faibles
parce qu'elles suivent la voix de leur cœur. Personnellement,
je suis heureuse de faire partie du sexe qui donne tout
sans rien attendre en retour. Bien entendu, nous n'avons
pas vraiment de mariages d'amour dans notre culture,
donc nous n'avons pas le problème de Scarlett. La plupart
du temps, on se marie avec nos cousins pour conserver
tous les biens dans la famille, même si je me demandais
parfois qui pourrait bien accepter de m'épouser à cause
de mon handicap.

A la même époque, Nasrine a eu *L'Amour aux temps du
choléra* de Gabriel García Márquez, qu'on a adoré toutes
les deux, et je n'arrêtais pas de le chiper dans ses affaires
dès qu'elle était sortie. Ça la mettait en colère, mais que
faire ? Encore une fois, je bénéficiais de l'avantage handicap.

J'ai passé mon quatorzième anniversaire à lire ce livre.
C'était la première fois que je ne fêtais pas un anniversaire
avec un gâteau et des bonbons mais, comme je n'aimais

pas être à Manbij, je refusais de le célébrer. Et puis c'est bizarre de fêter un anniversaire en pleine guerre. La seule bonne nouvelle — qui me faisait peur aussi — était l'arrivée de mon frère aîné Shiar que j'allais rencontrer pour la première fois. Il avait appelé quelques jours avant le nouvel an pour dire qu'il rentrait en Syrie pour tourner un film. J'étais un peu nerveuse. Et si je ne ressentais pas ce que je suis censée ressentir pour un frère, et s'il ne m'aimait pas ou me trouvait étrange ? Je ne savais pas trop s'il savait réellement à quel point je ne pouvais pas marcher. Depuis notre départ d'Alep, bien entendu, je ne suivais plus aucun traitement et l'état de mes jambes avait de nouveau empiré. Et moi qui n'aimais pas quand la maison était bondée, il allait y avoir encore plus de gens pour voir le célèbre réalisateur de films.

La maison s'est animée, ma mère et mes sœurs étaient en pleins préparatifs. Mustafa avait réussi à trouver une dinde malgré la pénurie. On l'a cuisinée en attendant l'arrivée de Shiar. Je me préparais au grand jour. Je ne voulais surtout pas me laisser submerger par l'émotion — hors de question de pleurer. Mais quand Shiar a passé la porte d'entrée et qu'il m'a serrée dans ses bras, c'était lui qui pleurait.

Toutes mes inquiétudes sur la manière de me tenir en présence de Shiar ont fini par disparaître, parce qu'il se comportait comme un membre de la famille. Les gens venaient le voir et, après leur départ, on restait à parler jusqu'à plus de 3 heures du matin. C'étaient des bons moments. Je n'avais jamais eu trois frères à la maison. Seul manquait Farhad, mais il était très loin, dans une ville d'Angleterre du nom de Sheffield, où il faisait des pizzas. C'était son travail, même s'il a fait des études pour être dentiste. On imaginait l'Europe comme un lieu d'opulence mais, pendant un moment, mon frère a même dû vivre dans la rue.

Shiar était choqué par les bombardements et par le fait qu'on s'y était habitués. « Comment pouvez-vous vivre dans ces conditions ? » ne cessait-il de répéter. Il était venu tourner un film intitulé *Road to Aleppo* dans lequel Bland allait jouer. Bland, star de cinéma ! Ensemble, ils partaient repérer des lieux de tournage en voiture. Un jour, ils sont allés visiter son ancienne école à l'ouest, puis le Centre centre culturel où Shiar allait souvent enfant. C'est à ce moment-là qu'ils ont vu les gens qu'on appellerait plus tard « Daesh ». Ils devaient être huit, habillés de noir, une cagoule masquant leur visage. Ils avaient barré la rue avec leurs pick-up et, sur la devanture du Centre, ils avaient peint les mots « Etat islamique ». C'est la première fois qu'on entendait parler d'eux.

Le printemps est arrivé, et ils étaient de plus en plus nombreux. Nous ne savions pas trop si c'était la même chose ou non que Jabhat al-Nosra, mais ils se ressemblaient avec leurs longues barbes et leurs pantalons courts. Prince et les autres commandants ont disparu, ce qui n'était pas pour déplaire à nos voisins, étant donné qu'ils harcelaient la population.

Au départ, les hommes en noir étaient gentils. Un jour, Mustafa dînait dans un restaurant quand quelques-uns sont entrés et ont payé son repas et celui de tous les autres clients. Ils tenaient des forums de *dawa* (sortes de réunions publiques) sur la grand-place, où ils parlaient du djihad contre le régime d'Assad et organisaient des concours de tir à la corde. Ils proposaient des services médicaux et fournissaient du carburant moins cher que celui qu'on achetait au marché noir. Ils ont même lancé un concours du plus gros mangeur de melon pour les enfants.

Puis plusieurs étrangers ont rejoint leurs rangs, des noirs, des blonds, pas juste des Arabes. Des panneaux d'affichage ont fait leur apparition avec d'étranges slogans comme « Oui à la loi de la charia à Manbij ! » Ils ont commencé à dire qu'il fallait couvrir les épouses et les filles et se sont mis à frapper les femmes qui refusaient. Ils ont construit des prisons et ont enfermé mon cousin parce qu'il avait un tatouage sur le front. « Tu es comme une femme », lui ont-ils dit, et ils l'ont obligé à suivre un cours de religion. C'était pareil pour tous ceux qui portaient un jean. Quant aux femmes, si ma mère ou mes sœurs sortaient de la maison, elles devaient être entièrement recouvertes de noir.

Rawan, la fille de Shiar, celle qui refusait de jouer avec moi quand j'étais petite, était venue avec lui. Comme elle avait grandi en Allemagne, elle était totalement européenne, et voilà qu'elle devait revêtir un *hijab* sombre. Au début, elle trouvait ça marrant mais, avec l'arrivée de l'été, il s'est mis à faire chaud et c'était difficile de se mouvoir avec quand on n'avait pas l'habitude. Elle a fini par en avoir marre.

La situation était effrayante et déroutante. Un jour, Nasrine m'aidait à sortir jusqu'à la voiture de Mustafa quand ce qu'on pensait être un pick-up de Daesh est passé, puis a fait demi-tour pour s'immobiliser à notre hauteur. Comme d'habitude, j'étais tête nue. Nos cœurs se sont arrêtés de battre.

— Ma sœur, ma sœur, y a-t-il un homme à qui parler ? a crié l'un des occupants du pick-up.

— Oui, a répondu Nasrine avant d'appeler Bland.

En définitive, ils se sont révélés être des membres de

l'ASL qui voulaient savoir si nous avions besoin d'un fauteuil roulant. Nous avons répondu non, quand bien même il m'en fallait un.

Des voisins que nous connaissions depuis vingt ans, et qui avaient rejoint l'ASL à leur arrivée, se mettaient désormais à grossir les rangs de Daesh. Ça pouvait paraître étrange qu'ils acceptent que des gens de l'extérieur leur donnent des ordres comme ça, mais, d'après Bland, le problème était que Manbij était une ville inculte et que la population avait peur de ne pas être perçue comme islamique. « Ils sont prêts à gober toutes les superstitions. Tu dis *"Allahu Akbar"* trois fois de suite, et tout le monde accourt. » Il avait raison : Manbij est un endroit rétrograde où les femmes n'ont jamais eu de droits. Quand on y vivait avant la guerre, Nasrine et notre cousine étaient les seules filles du lycée à ne pas se couvrir la tête.

Dans une autre ville du nom de Ad Dana où Daesh s'était installé à peu près au même moment, les résidents sont descendus dans la rue en juillet pour se plaindre de la dureté des lois islamiques. Environ vingt-cinq personnes ont été abattues et deux commandants de l'ASL décapités, leurs têtes disposées à côté d'une poubelle en plein centre-ville. Comment ces gens pouvaient-ils se réclamer de l'islam ? Aucune religion au monde n'autorise à tuer des innocents.

Nous avons compris plus tard qu'ils avaient pris leurs quartiers dans Manbij et d'autre villes soit parce qu'il s'agissait de postes frontaliers (comme Jarablus à la frontière turque) leur permettant de faire venir leurs membres, soit parce qu'il s'agissait de bastions stratégiques (comme Manbij et Al-Baba) sur la route de Rakka, ville dont ils feraient leur QG. Désormais, en plus des bombardements du régime, il fallait s'inquiéter d'avoir des fanatiques à nos trousses, de ceux qu'on trouvait en Arabie saoudite.

Et Assad était de pire en pire. Il bénéficiait de l'assistance des Iraniens pour repousser les rebelles. Ils faisaient même venir des combattants afghans comme mercenaires. En août 2013, il a utilisé du gaz sarin contre les quartiers tenus par les rebelles à Damas. C'était exactement comme Halabja en 1988. Je me souviens de la date, c'était le 21 août et j'étais en train de regarder *Des jours*. A la fin de l'épisode, j'ai zappé et je suis tombée par hasard sur les images des cadavres sur Al Jazeera. C'était atroce. J'ai pris mon déambulateur pour me traîner jusqu'à la salle de bains et j'ai fait couler l'eau de la douche, toute habillée. J'en suis ressortie trempée et j'ai demandé à Nasrine de me faire un café alors que je n'ai pas le droit d'en boire.

A cette époque, son tournage fini, Shiar était rentré en Allemagne. Il m'a demandé mon avis sur l'histoire du film : un homme revient d'Allemagne pour tenter de retrouver sa mère à Alep. Il fait la connaissance d'une photographe qui propose de l'aider. Dans un village bombardé, ils essaient de venir en aide aux victimes et se font emprisonner par les rebelles. « Ça ne me plaît pas parce qu'il n'y a aucun espoir, et nous avons besoin d'espoir », ai-je répondu. Il s'est mis à pleurer. Je n'avais pas donné la bonne réponse.

De plus en plus de gens de notre connaissance quittaient le pays. Certains cousins et voisins commençaient à dire qu'ils auraient préféré que la révolution n'ait jamais eu lieu. Je n'étais pas de cet avis : « Vous seriez contents d'être gouvernés par la dixième génération d'Assad ? Ça m'étonnerait. »

*
* *

Et pourtant, la vie continuait d'une certaine manière comme si de rien n'était. A la même époque a eu lieu le mariage de mon frère Mustafa. Comme je l'ai déjà dit, je déteste quand mes frères et sœurs se marient. Dans *Des jours et des vies*, mon épisode préféré de tous les temps était celui que les fans appellent « Black Wedding » : quand mon personnage favori EJ DiMera (oui, le méchant) épouse Sami, de la famille rivale des Brady.

Si vous ne le savez pas, EJ est le fils du plus gros méchant de la série : Stefano DiMera, le patron de la pègre. EJ est très beau et il a l'accent anglais parce qu'on l'a envoyé en pension en Angleterre, d'abord à Eton (avec le prince William !), puis à Oxford. Après ça, il devient pilote de course, mais son père le fait revenir en Amérique pour empoisonner la vie des Brady. On voit bien qu'EJ ferait n'importe quoi pour gagner l'amour de son père et faire enfin partie d'une famille, mais que Stefano l'utilise et qu'il est incapable d'aimer.

Pour faire plaisir à son père (et exaspérer les Brady), EJ séduit Sami Brady, la brebis galeuse de la famille. Elle tombe enceinte et ils se marient. C'est censé mettre un terme à la vendetta, sauf qu'EJ se fait tirer dessus dans le dos par l'ex-mari, Lucas, à peine les vœux de mariage échangés. Moi qui avais toujours cru que *Des jours et des vies* était différent de notre réalité, je trouvais ça marrant : dans notre société aussi il y a des vendettas — comme celle qui nous a forcés à quitter Kobané — que nous essayons de résoudre par le mariage.

Chez nous la tradition veut qu'on tire des coups de feu pour célébrer une union. Je ne voyais pas trop ce qu'il y avait à fêter, étant donné qu'un mariage signifiait la perte d'un autre membre de ma famille. Ayee a essayé de m'expliquer que cette fois-ci on allait gagner quelqu'un — Dozgeen, l'épouse de Mustafa, qui était à peine plus âgée que moi. Au début, ils allaient même vivre sous notre toit tandis qu'on déménagerait chez nos cousins à côté. Je ne voyais pas en quoi c'était bien.

Bien vite on a fait venir Dozgeen de Kobané. Elle n'avait pas de robe de mariée et il leur avait fallu quatre heures pour traverser des petits villages à cause des combats. Quand elle est arrivée, j'étais très fatiguée, j'avais mal au ventre et j'avais envie qu'on me laisse tranquille, mais c'était un moment historique pour notre famille. La maison s'est remplie d'invités qui ont veillé jusqu'à tard en dansant des danses traditionnelles et en se comportant comme s'il n'y avait pas la guerre ni Daesh, et j'ai été obligée de sourire de bout en bout comme si je passais du bon temps.

Ayee avait raison. Dozgeen était comme une nouvelle sœur. Le lendemain de la cérémonie, elle portait une magnifique robe violette. Elle était assise sur une chaise et j'ai commencé à la cuisiner : « C'est quoi ta couleur préférée ? Ton film préféré ? Ton plat préféré ? » Elle a répondu à toutes mes questions, puis m'a confié que sa mère lui avait recommandé d'être gentille avec moi parce que j'étais très précieuse aux yeux de la famille.

C'était bien d'avoir une nouvelle tête à la maison parce que les coupures d'électricité n'arrêtaient pas d'interrompre la télé, ce qui était terriblement agaçant, sachant que j'attendais désespérément chaque jour l'ultime rebondissement dans l'histoire d'amour entre EJ et Sami, ou « EJami » comme disent les fans.

Après qu'EJ s'est fait tirer dessus, Sami est obligée

de faire semblant de l'aimer pour l'aider à se remettre et puis, une fois qu'il va mieux, il a une histoire avec l'ennemie jurée de Sami, Nicole, qui tombe enceinte elle aussi. En gros, EJ et Sami ont une liaison explosive où ils se disputent, se remettent ensemble, se disputent, mentent, et ainsi de suite. D'une certaine manière, même s'il est méchant et cruel, EJ est si fragile et animé d'un tel besoin d'être aimé (avec un père d'une cruauté sans bornes) qu'on finit par se rallier à sa cause.

Donc, en plus de tout le stress lié aux bombardements et au mariage, je devais gérer les manigances de ce couple d'insoumis. Parfois, j'avais l'impression que j'allais perdre la tête.

Et je n'arrêtais pas de rater des épisodes clés : le feuilleton passait sur MBC4 du samedi au mercredi entre 9 h 15 et 10 heures. Or l'électricité de Manbij était rationnée : parfois elle était coupée à 6 heures pour revenir à 9 heures, pile à temps ; mais d'autres fois, c'était horripilant, l'électricité sautait à 7 heures et n'était rétablie qu'à 10 heures. Il y avait bien une rediffusion à 16 heures mais, à ce moment-là, le salon accueillait souvent plein d'invités, avec leur lot de nouvelles atroces sur les migrants, ou mon père et ses amis qui parlaient des événements, et je ne pouvais pas regarder la télé. Les jours où je ratais *Des jours*, j'avais l'impression qu'on me privait de mes amis quand j'en avais le plus besoin, même s'ils ignoraient totalement mon existence.

Je répétais à ma famille que je ne pouvais pas me permettre de rater le moindre épisode puisqu'il s'agissait de mes cours d'anglais. Depuis que j'avais compris le mot « *anything* », j'essayais de saisir de plus en plus de choses en anglais. Je me suis rapidement aperçue que je connaissais plein de mots et j'ai commencé à collectionner des phrases. J'adorais comprendre des phrases entières. La visite de Shiar à la maison m'avait donné la possibilité de m'entraîner avec lui, comme il parlait un peu anglais. Je ne connaissais personne d'autre qui maîtrisait cette langue.

J'ai commencé à faire des choix plus ciblés. Je regardais *Dr Oz*, une émission de santé pour apprendre le vocabulaire médical, pensant qu'un jour j'irais peut-être à l'hôpital ailleurs pour me faire soigner ; *Masterchef* pour les termes culinaires ; *America's Got Talent* pour les références culturelles ; les programmes animaliers pour les noms d'espèces ; les documentaires pour la pensée historique et scientifique, ce qui serait utile si jamais j'allais à l'université (même si je n'étais jamais allée à l'école !) ; mais, pour la conversation d'ordre général, je puisais bien évidemment dans *Des jours*. Parfois, les personnages me semblaient plus réels que mes propres frères, que je voyais rarement. Je voulais à tout prix que leur histoire se termine comme je l'entendais. Il fallait bien un dénouement heureux quelque part.

8

Que la Syrie me pardonne

Manbij, juillet–août 2014

C'est Shiar qui a fini par nous faire quitter la Syrie. Il était choqué par nos conditions de vie, avec les bombardements, les djihadistes, et ne nous lâchait pas depuis qu'il était rentré en Allemagne.

Au printemps-été 2014, la situation a atteint un point critique. Tout d'abord, nous avons appris que l'écrivain Gabriel García Márquez était mort ; Nasrine et moi étions très attristées. Puis EJ s'est fait tuer dans *Des jours et des vies*. Sami et lui s'étaient enfin réconciliés quand son propre garde du corps l'avait trahi et tué. Je pressentais que cela allait arriver et j'étais plutôt satisfaite d'avoir réussi à devancer les auteurs du feuilleton, mais quand même : sa disparition a laissé un grand vide dans ma vie.

Les forces d'Assad, occupées à défendre Damas, avaient quitté notre région. C'étaient à présent les milices kurdes des YPG qui combattaient Daesh. En tant que Kurdes, nous sommes musulmans, mais ce n'est pas une obsession et nous nous identifions plus volontiers à notre culture. Les gens ont commencé à parler de notre région comme de Rojava : notre Etat kurde.

En janvier, Daesh a installé son QG dans la ville de Rakka, à moins de 160 kilomètres. A Manbij, ils étaient devenus plus stricts. En plus d'obliger les femmes à porter le *niqab*, ils ordonnaient aux hommes de prier à la mosquée cinq fois par jour. Ils avaient décapité un garçon de quatorze ans qu'ils accusaient d'avoir violé une vieille femme. Sa mère est morte de tristesse. Ils ont également interdit la musique. Je venais de découvrir la musique classique. J'adorais la guitare espagnole du *Concerto d'Aranjuez* de Rodrigo et la chanson *Time to Say Goodbye* interprétée par Andrea Bocelli. En réalité, ça m'énervait : pourquoi est-ce que je ne découvrais tout ça que maintenant ? Je pensais être douée pour faire de nouvelles découvertes !

En juin, Daesh a pris tout le monde de court en s'emparant de la ville kurde de Mossoul au nord de l'Irak et en avançant vers Bagdad. Ils ont diffusé une vidéo de leur chef, Abou Bakr al-Baghdadi, en train de prononcer un sermon à la mosquée, proclamant un califat qui s'étendrait jusqu'à l'Espagne. « C'est un devoir pour les musulmans, disait-il. Un devoir qui a été négligé pendant des siècles. Ils doivent toujours s'efforcer d'accomplir ce devoir. »

Ça fait mille ans qu'il n'y a pas eu de califat, si vous voyez ce que je veux dire. Va falloir passer à autre chose, Baghdadi ! Et puis, si tu veux nous faire remonter dans le temps, laisse un peu tomber la Rolex. En tout cas, le sujet était sur toutes les chaînes d'information internationales, et soudain tous les Occidentaux n'avaient que le mot « Daesh » à la bouche, comme s'ils venaient de le découvrir.

Un jour, Nasrine et Bland empruntaient un rond-point en voiture quand ils ont remarqué une tête plantée sur un pic. C'est arrivé de plus en plus souvent. Une autre fois, des hommes armés se sont présentés chez tante Shamsa et oncle Bozan, dont le fils avait été enlevé. Ils ont tiré en l'air puis tambouriné à la porte — peut-être à cause des deux belles voitures garées devant —, mais il n'y avait personne à la maison. Dès que ma tante et mon oncle ont eu vent de ce qui s'était passé, ils ont décidé de déménager à Kobané.

Plus tard, au téléphone, tante Shamsa nous a raconté une histoire horrible. Leur voisine, qui était kurde elle aussi, avait une fille magnifique. Un jour, alors que son père n'était pas à la maison, des militants de Daesh sont venus pour l'emmener avec eux. Son frère de treize ans a tenté de les en empêcher, et ils l'ont tué. Un jour plus tard, ils sont revenus : « Elle doit épouser notre émir. Préparez-la pour demain, nous viendrons la chercher. » Ses parents, terrifiés, n'avaient pas le choix. Les hommes l'ont emmenée et, au bout d'une semaine, l'ont autorisée à rentrer chez elle pendant une journée. Sa mère l'a interrogée : « Qui est ton époux ? C'est un homme bien ? » La fille s'est mise à pleurer. « Tu crois que vous m'avez laissée épouser un seul homme ? Chaque nuit ils sont dix. »

Notre famille est partie le lendemain.

Sauf que ce n'était pas la famille au complet. Mes parents restaient pour s'occuper de la maison. Ils disaient qu'ils nous rejoindraient bientôt, mais je me souvenais des promesses d'Ayee au départ d'Alep. Nous étions censés rentrer après la fête de l'Aïd et, depuis, deux autres Aïd étaient passées. Et au fond de moi je savais qu'ils ne voulaient pas quitter la Syrie. Nous nous sommes dit au revoir. Mes joues étaient baignées de larmes. Je me suis agrippée à Ayee. Jamais je n'avais été séparée d'elle, nous avions toujours dormi ensemble.

Nous sommes partis le lendemain matin après un

petit déjeuner de pain pita trempé dans de l'huile d'olive parfumée à l'origan, au sumac et aux graines de sésame — notre version à nous de la tartine à la confiture. Mustafa était parti en premier jusqu'à la ville turque de Gaziantep, où vivaient de nombreux Syriens, pour nous trouver un appartement. Oncle Ahmed, qui détenait un passeport et pouvait donc passer la frontière, nous conduisait dans sa voiture. Bland était assis devant, tandis que Nasrine, Dozgeen — la femme de Mustafa, qui semblait avoir toujours fait partie de la famille — et moi étions serrées à l'arrière. Avec toutes nos affaires il n'y avait pas beaucoup de place. Elles portaient toutes la *burqa*. C'était une belle journée ensoleillée et, de l'extérieur, on devait ressembler à une famille normale qui partait en excursion. Le chat blanc maléfique avec son espèce de cache-œil orange et la tumeur au cou nous observait depuis le toit. Je n'étais pas triste de les quitter, ceux-là : on aurait dit les chats de Daesh.

La frontière était à moins d'une heure. Nous avancions rapidement vers les collines verdoyantes et les champs de blé dorés au-delà desquels s'étend la Turquie. Nous avions l'intention de traverser à Jarablus, qui se situe sur la rive occidentale de l'Euphrate, et était également sous le contrôle de Daesh. A l'approche de la ville, nous avons vu flotter leur drapeau noir. C'était la première fois que je le voyais. Je ne pouvais m'empêcher de repenser aux reportages de janvier, à l'époque des combats à Jarablus, quand les commandants de Daesh avaient abattu des gens, décapité des rebelles et exposé les têtes plantées sur des pics sur la grand-place. J'espérais ne rien voir dans ce goût-là.

Quelques instants plus tard, à la sortie d'un virage, nous avons aperçu un barrage routier. Des hommes en noir ont brandi leurs fusils pour nous arrêter. Ils étaient effrayants avec leurs grandes barbes, leurs cheveux longs, leurs pantalons courts et leurs armes braquées sur nous. On aurait dit un film d'action.

Mon oncle a baissé les vitres. Même les oiseaux semblaient s'être tus.

Les militants m'ont montrée du doigt.

— Pourquoi ne porte-t-elle pas le voile ?

Leur arabe nous était étrange. J'avais si peur que je tremblais.

— Elle n'a que douze ans, a répondu Bland, et elle est handicapée.

Les hommes se sont entretenus un moment. Puis l'un d'eux s'est de nouveau tourné vers Bland.

— Dis à la fille de se couvrir la tête à l'avenir, lui a-t-il ordonné comme si j'étais sourde.

Ils nous ont laissés poursuivre notre chemin. On apercevait de l'autre côté un énorme drapeau turc rouge, avec son croissant de lune blanc et son étoile. Il y avait des centaines d'autres Syriens au point de passage, la plupart à pied, chargés de valises et de paquets renfermant leurs affaires. Pour la toute première fois je me suis rendu compte que nous étions des réfugiés.

Mon oncle, qui comme Mustafa faisait des allers et retours pour acheminer des téléphones pour son entreprise, connaissait un des gardes-frontières, et nous n'avons pas eu à faire la queue. Avant, disait-il, c'était facile de traverser : Turcs et Syriens faisaient un saut chez le voisin — les Turcs pour l'essence et les cigarettes bon marché, et nous, les Syriens, pour les produits de luxe — quasiment comme s'il n'y avait pas de frontière.

A cette époque, Assad et le président turc Recep Erdoğan étaient alliés et amis. Ça a bien changé. Assad n'a fait aucun cas des fonctionnaires turcs qui se sont rendus à Damas au début de la révolution pour essayer de le persuader d'écouter les manifestants et d'introduire des réformes. Comme leurs requêtes tombaient dans l'oreille d'un sourd, Erdoğan a laissé le principal groupe d'opposition (le Conseil national syrien) organiser un gouvernement en exil à Istanbul, et l'ASL a des camps d'entraînement près de la frontière.

Oncle Ahmed a glissé une liasse de billets au garde-frontière, mais son contact lui a fait savoir que seuls lui et moi pourrions passer. Bland a annoncé qu'il irait parler à quelqu'un d'autre. Nous avons attendu quatre heures dans la voiture. Il faisait de plus en plus chaud. Pendant ce temps, je me suis informée auprès d'oncle Ahmed : pourquoi le drapeau turc a-t-il une lune et une étoile ? (il m'a répondu qu'elles étaient apparues en rêve au premier chef ottoman) ; quelle est la population de la Turquie comparée à la Syrie ? (80 millions contre 23 millions — enfin, ça c'était avant que tout le monde s'en aille). Des enfants jouaient à proximité, et nous avons remarqué qu'ils faisaient semblant de se tirer dessus et de se décapiter. Qu'était-il arrivé à notre pays ?

Quand Bland est revenu, il a annoncé qu'il était impossible de traverser là, mais qu'il avait entendu parler d'un autre endroit. Alors Nasrine, Dozgeen et lui ont pris un taxi jusqu'à un village du nom d'Arai où des passeurs aidaient à traverser la frontière. Ils ont payé 50 dollars chacun, et on les a placés dans un groupe d'une vingtaine de réfugiés. Le passeur leur a dit de s'avancer vers la clôture frontalière, puis de se cacher dans les buissons à proximité. Au bout d'une demi-heure d'attente, il leur a fait signe qu'ils pouvaient traverser. La frontière était délimitée par une petite barrière qu'ils ont pu facilement

enjamber. Ils ont marché pendant environ trente minutes
de l'autre côté jusqu'à un endroit où une camionnette les
attendait pour les conduire jusqu'à nous.

A Jarablus, oncle Ahmed et moi avons tout simplement
franchi la frontière en voiture. Un trajet bien banal pour
un changement si décisif. Sur un mur, quelqu'un avait
peint la phrase : « La patrie n'est pas un hôtel qu'on peut
quitter quand le service est mauvais. » Je ne pouvais plus
retenir mes larmes. Difficile de se dire qu'Alep n'était
qu'à deux heures d'ici. Je n'avais pas d'amis à qui dire au
revoir et, malgré le fait que mon frère et ma sœur allaient
être à mes côtés, je me sentais triste.

— Pardonne-nous, Syrie, ai-je murmuré.

Après avoir récupéré Bland, Nasrine et Dozgeen,
qui étaient surexcités après leur aventure, nous avons
roulé pendant un moment sur une route parallèle à la
frontière. De temps à autre, nous apercevions d'immenses
campements de tentes blanches. La Turquie, qui accueillait
des réfugiés, avait fourni un certain nombre de campements
le long de la frontière. Au début, les réfugiés sont arrivés
goutte à goutte ; ils étaient dix mille la première année ;
à présent c'était une marée humaine. Un demi-million
de Syriens, voire plus, avaient franchi la frontière avant
nous. Ils partaient en si grand nombre qu'on avait le
sentiment qu'Assad allait se retrouver avec un pays sans
aucune population, ou seulement ses alaouites. Tous les
campements étaient pleins, et des gens dormaient au bord
de l'autoroute sous des branchages et des draps. J'étais
contente que nous ayons un point de chute.

Le trajet jusqu'à Gaziantep a duré environ trois heures.
Soudain, je me suis sentie épuisée. J'étais enthousiaste

d'être dans un nouveau pays, heureuse d'être loin des bombes et de Daesh, comme si on venait de m'ôter un poids, mais mes parents me manquaient.

Nous sommes arrivés à Gaziantep à la tombée de la nuit, une ville immense avec une imposante forteresse, des collines parsemées de maisons de pierre dans des teintes de gris, rose et ocre, et des mosquées aux minarets surmontés de croissants dorés. Il y avait des lumières partout. Nous n'avions pas vu de lampadaires en état de marche depuis si longtemps. En ce vendredi soir, les rues étaient pleines de monde. Nous n'en croyions pas nos yeux : il y avait des femmes en jean moulant et en T-shirt ou dans de minuscules minijupes, des garçons et des filles ensemble. Il y avait des rues bordées de boutiques de téléphonie, de boulangeries vendant des baklavas et de restaurants dont les tables débordaient sur le trottoir. Nous avons croisé des salles de cinéma, des centres commerciaux, des familles dans les parcs. Quand on ouvrait les vitres, ça sentait la pistache, l'eau de rose et le narguilé. « C'est comme Alep avant », a commenté Nasrine.

Notre nouvelle maison était dans une banlieue du nom de Jindires au nord de la ville, où davantage de femmes portaient des cafetans et des foulards. Bland a expliqué que c'était un quartier kurde. Beaucoup de réfugiés séjournaient chez des parents. Nous avions de la chance : Mustafa et Shiar avaient contribué financièrement à nous louer un appartement au premier étage sur la rue principale, au-dessus d'un supermarché, à deux pas d'un kebab syrien. Bland m'a portée à l'étage. Un seul étage, cette fois-ci, pas cinq. L'appartement était lumineux et aéré, avec une grande pièce parsemée de coussins pour que nous puissions dormir, et un téléviseur, bien entendu. Je me suis immédiatement mise en quête de chaînes familières telles que National Geographic et MBC4 pour *Des jours et des vies.*

Et en plus nous avions Internet. Je n'avais encore jamais utilisé Google. Ma première recherche a été sur *Des jours et des vies.* Imaginez ma stupéfaction quand j'ai découvert que c'était le plus ancien feuilleton américain toujours en production.

La première nuit, Nasrine et moi avons regardé un film sur un jeu télévisé en Inde intitulé *Slumdog Millionaire.* Un garçon pauvre, qui fait partie d'un groupe d'amis baptisé « Les Trois Mousquetaires », n'est plus qu'à une question du grand prix. La question porte sur le nom du troisième mousquetaire, et il ignore la réponse ! C'est alors que je me suis aperçue que je ne connaissais pas le nom des comédiens qui jouaient mes personnages préférés, EJ et Sami. J'ai aussitôt regardé sur Google.

Finalement, je n'ai pas eu à attendre si longtemps avant de revoir mes parents. Tout juste quinze jours après notre départ, ma mère, souffrant d'insuffisance respiratoire, est tombée malade à Manbij. Mustafa, qui était à la maison, l'a emmenée à l'hôpital. Le bâtiment était rempli d'hommes à longues barbes en uniformes noirs qui faisaient peur aux gens. Ils ne laissaient entrer que les cas critiques, notamment les blessés des bombardements. Ayee avait du mal à respirer, mais ils lui ont dit qu'il n'y avait pas de docteur et qu'elle devait partir. Le lendemain, Mustafa a conduit mes parents à Gaziantep.

Nous étions de nouveau tous réunis, même si c'était dans un pays différent. Et il n'y avait pas de bombardement. « Tu sais, ces deux années à Manbij m'ont semblé durer dix ans », m'a confié Ayee quelques jours plus tard.

Pourtant, je savais que Gaziantep ne marquerait pas la fin du voyage. Shiar avait parlé de l'Allemagne. Je ne l'ai raconté à personne, mais une nuit, alors que tout le monde dormait, j'ai emprunté l'ordinateur portable de Shiar et j'ai tapé sur Google « Traitement de la paralysie cérébrale en Allemagne ».

PARTIE II

Le voyage

Europe, août-septembre 2015

« Pour réussir en tant que migrant, il faut connaître
la loi. Il faut être débrouillard. Il faut un smartphone,
avoir un compte Facebook et WhatsApp. Il faut
de l'argent. Idéalement, il faut connaître quelques
mots d'anglais. Et, dans mon cas précis, il faut
une sœur pour pousser le fauteuil roulant. »

NUJEEN

Guerre mondiale qu'on voit dans les vieux films, et ils attaquaient selon le même principe : les pilotes plongeaient sur leur cible, larguaient leurs bombes puis se redressaient brusquement. Par la suite, la télévision syrienne d'Etat ne montrait rien de ces raids.

Au cours de notre première semaine de retour à Manbij, un imbécile de voisin s'est planté sur le toit avec un fusil pour abattre les avions. Ma mère lui a hurlé dessus : « Vous êtes fou ? Si les troupes du régime voient votre arme ils vont croire que l'ASL est ici et ils vont tous nous tuer. » Ayee pouvait faire drôlement peur.

A force, nous sommes devenus des spécialistes des armes. On faisait la différence à l'oreille entre des chasseurs MiG-21 et MiG-23 et des hélicoptères de combat, et entre les bombes, les bombes à fragmentation et les missiles. Bland sortait toujours dans la rue ou sur le toit, et Yaba lui criait de rentrer.

Un jour, aux alentours de midi, les bombardements ont démarré alors que Nasrine était partie rendre visite à Jamila. J'étais en train de regarder un documentaire passionnant intitulé *Getting to the Moon* quand j'ai entendu le vrombissement de l'hélicoptère au-dessus de ma tête. Pas possible, à croire qu'Assad me narguait. J'ai voulu continuer à regarder la télé, mais le bruit était de plus en plus fort. C'étaient des missiles. A chaque fois qu'il en tombait un, la pièce se mettait à vibrer. Ayee et moi nous sommes cachées dans la salle de bains parce que, avec la couche de ciment qui recouvrait le toit de boue séchée, son plafond est plus solide. Notre autre abri se situait sous les marches en béton devant la maison, mais j'avais du mal à m'y glisser.

Nous sommes restées quatre heures dans la salle de bains. Quitte à y passer, je préférais que ce soit moi en premier. Les autres membres de ma famille avaient tous

9

Elargissez votre monde

Gaziantep, samedi 22 août 2015

Les adieux n'ont pas été faciles. La veille au soir, Ayee avait cuisiné mon dîner préféré, un plat kurde traditionnel de dinde au boulgour et au persil — si vous ne connaissez pas, c'est très épicé. Nasrine a compté notre argent (elle avait 300 dollars et 1 300 livres turques dans un porte-monnaie tour de cou — nous prendrions des euros en route) puis vérifié nos affaires. Elle avait acheté un sac à dos gris frappé des mots « *Touching Air* » dans lequel elle avait rangé des vêtements de rechange pour nous deux — une chemise et un jean — ainsi que des pyjamas, des sous-vêtements, des brosses à dents et un chargeur pour son téléphone — article essentiel. J'avais également un déambulateur, un peu encombrant mais qui serait utile pour aller aux toilettes. Ça semblait peu pour un périple aussi long.

Mon père, qui dit toujours que la famille est la chose la plus importante dans la vie, était en larmes. « Prie pour que nous fassions bon voyage, Yaba », lui ai-je dit. Je ne voulais pas qu'il nous accompagne à l'aéroport parce qu'il allait se laissait submerger par l'émotion et que je n'aime pas quand les gens font ça.

Seuls Ayee et Mustafa sont venus nous dire au revoir. Avant notre départ, ma mère a retiré mon collier en or d'Alep, mon unique possession de valeur, car nous avions entendu dire qu'il pouvait y avoir des voleurs en chemin. Elle l'a accroché à son cou et s'est mise à pleurer. « Oh mon Dieu, je pars juste en Europe, pas pour New York ou LA », l'ai-je rabrouée. Puis Nasrine m'a fait avancer, nous sommes passées devant une grande publicité de Turkish Airlines qui clamait « Elargissez votre monde », et j'ai fait mes adieux de la main.

Je ne voyais pas vraiment ça comme un adieu. J'étais persuadée que nous les reverrions bientôt. Et j'étais surexcitée. Après tant d'années passées dans l'appartement du cinquième à Alep, voilà que j'étais en route pour l'Allemagne ! Nous allions traverser la Turquie d'est en ouest en avion jusqu'à Izmir, puis franchir mer et terre jusqu'à l'Allemagne pour rejoindre Bland, parti quatre mois plus tôt. J'avais cherché sur Google sa position à Dortmund, qui était à 2 900 kilomètres à vol d'oiseau (drôle d'expression, étant donné que les oiseaux ne volent pas vraiment en ligne droite) et à 3 700 kilomètres par la route.

Mes parents disaient qu'ils étaient trop vieux pour entreprendre un tel périple, et Mustafa devait continuer à gagner de l'argent pour payer leur loyer et notre voyage. Ce serait donc juste moi et Nasrine. Et mon fauteuil roulant, qu'on venait d'obtenir d'une œuvre de bienfaisance.

Nous avions décidé de partir parce que la vie s'était arrêtée à Gaziantep. Les Turcs nous avaient certes laissé entrer dans leur pays, mais ils ne nous aimaient pas. Autrefois, nous étions des Syriens fiers, héritiers d'une culture antique. A présent nous étions des réfugiés : des moins que rien. Bland ne pouvait pas travailler. Nasrine ne pouvait pas étudier. Le côté positif, c'est qu'il n'y avait pas de chats ou chiens sauvages, ni de bombes ou d'obus, même si on sursautait quand un objet tombait par terre ou à la première voiture qui pétaradait. Mais la situation était véritablement calamiteuse pour nous Syriens en Turquie. Et par-dessus le marché nous étions kurdes. Le seul moyen de travailler était dans l'illégalité, donc à la merci des patrons turcs qui en profitaient pour payer des salaires de misère, voire rien du tout.

Pour moi c'était tolérable, car je m'occupais en regardant la télé pour faire des progrès en anglais (pas en turc, je trouvais que c'était vraiment moche comme langue) et en cherchant des données sur Internet. Ce sentiment d'acquérir de nouvelles connaissances est merveilleux, et Shiar m'avait prêté un ordinateur portable pour que je puisse consulter tout ce que je voulais. C'était une véritable mine d'or. Qui a inventé *Tom et Jerry* ? A combien s'élève la richesse de Mark Zuckerberg ? Comment Stephenie Meyer a-t-elle eu l'idée des vampires pour la saga de *Twilight* ? Et surtout, j'écumais Google à la recherche d'infos sur James Scott et Alison Sweeney, qui jouaient EJ et Sami dans *Des jours*.

En plus, j'étais devenue obsédée par la reine Victoria, qui après la mort de son mari avait porté le deuil pendant le restant de sa vie — qui a été longue, puisque Albert est mort alors qu'elle avait quarante-deux ans et qu'elle a vécu jusqu'à quatre-vingt-un ans.

C'est marrant, parce que dans les films elle semble très austère, et puis j'ai découvert qu'elle tenait un journal intime, qu'on peut lire en ligne (ce que j'ai fait, mais pas les 141 volumes en entier !), et il se trouve qu'elle n'était pas du tout comme ça. Albert, qui était son cousin, était allemand, et c'est elle qui a dû faire la demande en mariage parce qu'elle était reine. Ce qui me plaît chez elle, c'est qu'elle soit devenue reine si jeune, à dix-huit ans à peine, et qu'elle se soit mariée à vingt ans sans jamais rien perdre de sa légèreté. Elle avait beau être la personne la plus puissante du monde, elle écrivait dans son journal sur le fait d'être folle amoureuse comme une adolescente, de contempler le « magnifique visage » d'Albert le lendemain de leurs noces, et sur leurs discussions touchant à l'opéra, l'architecture et les expositions. Je déteste quand les femmes renoncent à leur vraie nature ; si puissante que l'on devienne, il faut savoir être passionnée, tomber amoureuse, pleurer devant un film et chanter sous la pluie.

Après la mort d'Albert, emporté par la typhoïde à tout juste quarante-deux ans, Victoria écrit qu'elle a « le cœur brisé ». Elle ne devait jamais s'en remettre. Je n'avais jamais pensé que les reines aussi pouvaient avoir le cœur brisé.

Autre fait intéressant : le prénom de Victoria était en réalité Alexandrina, d'après le petit-fils de la Grande Catherine, le tsar Alexandre Ier, qui avait vaincu Napoléon et faisait partie de mes Romanov.

Ah ! c'est une reine puissante ou un Romanov qu'il nous fallait pour faire face à tous les problèmes en Syrie. D'ailleurs vous ne le savez peut-être pas, mais il y a très longtemps, la Syrie a eu une reine puissante, qui figure sur nos billets de 500 livres : Zénobie, descendante de Cléopâtre, née au IIIe siècle à Palmyre. Comme Victoria, elle est devenue reine très jeune, à une vingtaine d'années, et elle a été à la tête de son propre empire de Palmyre. Elle était si téméraire qu'elle a croisé le fer avec Rome, le plus grand empire au monde, et qu'elle a conquis l'Egypte et la majeure partie de ce qu'est aujourd'hui la Turquie. Tout ça accompli par une femme. Daesh la déteste !

Nous avions passé une année à Gaziantep, mais les chances de rentrer en Syrie semblaient s'éloigner de plus en plus. Daesh se répandait comme la peste. Je refuse de les appeler « Etat islamique » : qui a dit que c'était un Etat ? Est-ce que je peux m'autoproclamer « Etat de Nujeen » ? Bien sûr que non !

Juste après notre départ de Manbij en août 2014, ils ont assiégé les monts Sinjar où des milliers de yézidis avaient fui après que Daesh avait massacré des centaines d'entre eux dans les villages environnants — dont des enfants, les obligeant à se convertir sous peine d'être décapités — et avait enlevé des centaines de femmes pour les violer et les réduire en esclavage. En voyant le désespoir de ces gens piégés sur la montagne sans nourriture ni eau, le monde a enfin réagi. Les Etats-Unis et les Britanniques ont aidé les forces irakiennes à évacuer les yézidis de la montagne par des ponts aériens, et, le mois suivant, les Etats-Unis et quelques pays arabes comme la Jordanie, les Emirats arabes unis et le Bahreïn ont lancé des frappes aériennes sur la Syrie. Un peu tard, monsieur Obama.

Après le massacre de Sinjar, Daesh s'est dirigé vers Kobané, et tout le monde pensait qu'ils allaient y faire la même chose. Alors la population a été évacuée, dont notre sœur Jamila et de nombreux membres de notre famille. Seuls les combattants kurdes des YPG sont restés sur place. On suivait les événements sur YouTube : toutes ces personnes chargées de sacs et de balluchons qui faisaient la queue à la frontière, l'air désespéré comme dans les films de guerre. Au téléphone, les gens nous racontaient qu'ils avaient l'impression de vivre la fin du monde. Ayee avait rêvé que Daesh prenait le contrôle de la ville. Kobané avait toujours été kurde, et c'était horrible de se dire que Daesh essayait de s'en emparer. Je ne voulais pas d'une nouvelle date funeste sur notre calendrier, en plus du massacre de Halabja. Nous, les Kurdes, sommes véritablement les orphelins du monde. Comme souvent dans les situations extrêmes, pour me calmer je me tournais vers le Coran et mon chapitre, ou sourate, préféré, Yâ-Sîn, que nous appelons le cœur du Coran et qui m'apporte toujours du réconfort.

Des parents ont commencé à affluer de Kobané, dont tante Shamsa et oncle Bozan, remplissant bien vite notre appartement de Gaziantep : trente-six personnes sont arrivées chez nous. Nous étions loin d'avoir suffisamment de matelas et de couvertures, de sorte que nous avons passé la première nuit à bavarder dans une ambiance chaleureuse.

Il a fallu attendre près de cinq mois, jusqu'à janvier 2015, pour que Daesh soit expulsé de Kobané par les YPG et les raids aériens de la coalition américaine et que les gens puissent rentrer chez eux. La ville avait presque entièrement été détruite par les combats, mais peu importe s'il ne restait que des débris, du moment qu'ils n'étaient pas sous le contrôle de Daesh.

Un mois plus tard, en février 2015, est arrivé le pire de tout : les images de Daesh brûlant vif un pilote jordanien retenu en otage. Le pauvre homme, enfermé dans une cage, est consumé par les flammes sous le regard de la caméra. Puis, en mai, Daesh s'est emparé de la cité antique de Palmyre et a décapité un archéologue de quatre-vingt-deux ans que tout le monde surnommait « M. Palmyre » parce qu'il connaissait les ruines mieux que quiconque. Ils ont pendu son corps par les pieds et posé sa tête, qui portait encore ses lunettes, sur le sol à côté. Puis ils ont commencé à faire sauter des temples et tombeaux de deux mille ans et à détruire des statues à coups de masse.

Assad, pour sa part, avait tenu des élections et s'était fait réélire pour un troisième mandat de sept ans. Le régime poursuivait les bombardements. Il n'y a pas un seul côté positif dans cette histoire.

Pendant ce temps, les Syriens comme nous pris entre deux feux se faisaient tuer. Chaque famille était frappée par la tragédie et tout le monde redoutait la sonnerie du téléphone. Le 25 juin 2015, nous avons reçu un appel horrible. Tante Shamsa et oncle Bozan étaient eux aussi partis en Turquie lorsque la ville de Kobané avait été attaquée, mais ils y étaient retournés pour l'enterrement dans leur belle-famille du père de l'homme qui avait épousé leur fille, ma cousine Dilba. Il avait marché sur une mine laissée par Daesh pendant le retrait de Kobané. Ma mère les avait suppliés de ne pas y aller, mais tante Shamsa avait insisté, disant que ce serait leur dernière visite en Syrie avant de partir pour l'Europe.

Mais le jour des funérailles, aux premières heures du matin, des hommes de Daesh qui s'étaient rasé la tête et habillés comme nos Unités de protection du peuple (les YPG) sont entrés dans le village de Barkh Botan à la lisière sud de Kobané et sont passés de maison en maison pour massacrer la population. Dans chaque famille, ils épargnaient la vie d'une personne pour qu'elle raconte ce qu'elle avait vu. Puis ils ont fait exploser trois voitures piégées à la périphérie de Kobané avant de sillonner la zone dans des voitures blanches ou à pied pour tuer ceux qui prenaient la fuite. Depuis les toits, des snipers abattaient les gens qui tentaient d'enlever les cadavres de la rue.

Dès qu'ils ont entendu les explosions et la fusillade, mon oncle et ma tante se sont enfuis à bord de leur voiture. Au téléphone, ils ont dit à leur fils Mohammed : « Daesh est ici, nous ne savons pas où aller. » Puis ils l'ont rappelé, en lui expliquant avec soulagement qu'ils avaient réussi à atteindre un poste de contrôle des YPG. C'est la dernière fois que Mohammed a eu de leurs nouvelles. En réalité, les hommes au poste de contrôle appartenaient à Daesh. Ils ont abattu mon oncle et ma tante d'une balle dans la tête. Morts, comme ça, sans raison. Le pire jour de ma vie.

Environ 300 citoyens ordinaires ont été tués au cours de cette seule nuit. Rien de surprenant à ce que la population continue à partir de Syrie. Au mois d'août, 4 millions de Syriens avaient comme nous quitté le pays tandis que 8 millions supplémentaires avaient été contraints d'abandonner leur maison, soit 40 % de toute la nation. La plupart avaient rejoint des pays voisins, comme le Liban et la Jordanie ou la Turquie comme nous, mais ces endroits se remplissaient vite et les gens voyaient bien que la situation allait durer longtemps. C'est ainsi que 350 000 personnes étaient parties pour l'Europe. Une marée humaine était en mouvement, et de ce que nous pouvions voir à la télé et entendre aux informations, visiblement l'Union européenne (UE) ne pouvait pas faire face. Les gens partaient en masse : rien que le mois précédant notre départ, l'UE avait reçu 32 000 demandes d'asile.

D'après Bland et Mustafa, si nous voulions partir, il ne fallait pas tarder.

* *
*

Le plus simple serait de partir par avion, direction un pays de l'UE, et de faire une demande d'asile à l'atterrissage. Mais sans passeport ni visa il était impossible d'embarquer sur un vol international, et nous n'avions ni l'un ni l'autre.

Ce qui laissait deux options. Il y avait l'axe central méditerranéen, via la Lybie en traversant la mer pour rallier l'Italie, mais c'était dangereux. Nous avions été envieux quand la Lybie s'était débarrassée du colonel Kadhafi, en 2011, mais à présent c'était le chaos, toutes les milices se battaient les unes contre les autres et le pays était divisé entre deux ou peut-être trois groupes. On racontait que les étrangers étaient ramassés par la police et jetés dans des centres de détention, où ils étaient battus et attrapaient des maladies comme la gale. S'ils parvenaient à sortir et à trouver un passeur, ils se retrouvaient le plus souvent entassés dans des embarcations de fortune qui faisaient naufrage. Un seul de ces naufrages en avril 2015 avait entraîné la noyade de 800 personnes. L'option la plus sûre était la route des Balkans de la Turquie à la Grèce, qui était dans l'UE : en raison des accords de Schengen (nous nous étions renseignés), il n'y avait pas de contrôle aux frontières et on pouvait passer d'un pays à un autre sans passeport.

Avant, le point de passage terrestre le plus évident était entre la Turquie et la Grèce. Une frontière de 200 kilomètres court entre les deux pays le long d'un fleuve qu'on peut franchir à la nage, exception faite d'une portion de 12 kilomètres où la frontière s'écarte du fleuve. Mais maintenant les Grecs ont à gérer leur propre crise économique et ils ne veulent à aucun prix des migrants en plus. Ainsi, en 2012, la Grèce a fermé cette courte portion de terre avec une clôture de fil barbelé de trois mètres de haut renforcée par des caméras thermiques et des gardes-frontières. Ce qui voulait dire que la seule route terrestre qui restait traversait la Bulgarie. C'était par là que Bland était passé.

Il y a à peine 160 kilomètres entre Istanbul et la frontière bulgare, mais le problème était que le dernier tronçon sillonnait des massifs forestiers. Les gens s'y perdaient ou mouraient de froid l'hiver. C'était l'été, mais impossible d'envisager de grimper avec mon fauteuil roulant. En plus, comme le nombre de réfugiés augmentait, les gardes-frontières bulgares battaient les gens, lâchaient les chiens sur eux et les renvoyaient. Bland avait payé un passeur pour l'aider à effectuer le trajet, et malgré cela il lui a fallu trois tentatives avant de traverser. Quand enfin il a réussi, il s'est fait arrêter à un poste de contrôle de la police juste avant Sofia ; il est resté dix-huit jours en prison où on lui a volé une partie de son argent.

En réalité, l'incarcération des demandeurs d'asile est illégale. La Convention des Nations unies sur les réfugiés permet à une personne fuyant un conflit d'entrer dans un pays sans papiers — ce n'est qu'une fois qu'il ou elle s'est vu refuser l'asile qu'on peut l'emprisonner. Mais de nombreux pays de l'UE faisaient ça depuis des années — Malte, l'Italie et la Grèce — et personne ne disait rien.

Les conditions dans la prison bulgare étaient terribles, mais Bland avait encore plus peur qu'on prenne ses empreintes digitales. Tous les migrants connaissent le règlement Dublin II, qui dit qu'une personne doit demander le statut de réfugié dans le premier pays de l'Union européenne dans lequel elle arrive. Une fois que vos doigts ont touché le tampon encreur et ont été apposés sur le papier, vous êtes coincé dans le pays en question, qui devient le lieu de dépôt de votre demande d'asile, que vous le vouliez ou non, et vous devez y rester jusqu'à ce que les autorités du pays approuvent la demande ou vous renvoient chez vous. Nous avions entendu des tas d'histoires de gens coincés dans un pays où ils ne voulaient pas rester, et qui ne voulait pas d'eux non plus, obligés d'attendre que la machine bureaucratique se mette lentement en branle.

Sachant qu'il fallait éviter ça, Bland a payé un pot-de-vin pour qu'on ne relève pas ses empreintes et il a été libéré. Il a pris un autocar pour Sofia où il a passé trois nuits chez un ami. La Bulgarie, pays le plus pauvre d'Europe, n'avait rien à voir du tout avec l'Europe riche qu'il avait imaginée. Il ne sortait pas, parce qu'il ne voulait pas finir dans un camp bulgare où, à ce qu'on disait, les conditions étaient effroyables : entassés dans des pièces insalubres, les réfugiés avaient à peine de quoi se nourrir et de l'eau froide pour se laver. Si vous réchappiez à la police, il y avait le risque de se faire tabasser par des voyous d'extrême droite qui exigeaient l'expulsion des migrants.

L'ami de Bland l'a mis en contact avec un mafieux bulgare qui lui a fait payer 1 300 euros (l'euro est la devise principale des passeurs, bien que certains acceptent le dollar) pour l'emmener à un endroit près de la frontière avec la Serbie où il est resté enfermé dans une pièce exiguë pendant trois jours. Puis on l'a réveillé à 2 heures du matin pour le faire monter avec trente autres réfugiés à l'arrière d'un camion de transport alimentaire fermé hermétiquement. Ils n'y voyaient rien et pouvaient à peine respirer.

Alors qu'ils pensaient tous qu'ils allaient mourir d'asphyxie, le chauffeur du camion s'est arrêté et les a fait descendre dans une forêt en leur indiquant qu'il fallait marcher deux heures pour atteindre la frontière. Un homme masqué les a accompagnés. En réalité, ils ont marché quinze heures sous une pluie glaciale. Enfin, une fois en Serbie, on les a remis à des Serbes qui les ont conduits à Belgrade. De là, Bland s'est retrouvé dans un train, avec trois autres Syriens, à destination d'un village du nom de Horgoš près de la frontière avec la Hongrie. Ils commençaient tout juste à se détendre lorsque la police serbe est montée à bord du train et leur a annoncé qu'elle allait les renvoyer en Bulgarie. Bland et les autres voyageurs, qui voulaient à tout prix éviter ça, ont payé 50 euros chacun et la police les a laissés partir.

Une fois arrivés à Horgoš, ils sont allés dans un parc, conformément aux instructions, mais il n'y avait aucune trace du passeur qui était censé les y retrouver. Ils ont attendu toute la nuit sur place. Finalement, à 7 heures du matin, l'homme a répondu au téléphone. Il leur a dit qu'une voiture viendrait les chercher. Elle n'est arrivée que le lendemain. Le véhicule les a conduits près de la frontière, où la police avait été soudoyée pour les laisser passer, puis ils ont de nouveau déboursé 1 500 euros pour se rendre à Vienne en minibus. A ce stade, Bland était si méfiant qu'il n'arrêtait pas de suivre le trajet sur Google Maps pour s'assurer qu'il ne rebroussait pas chemin vers la Bulgarie. De Vienne il a pris un train pour l'Allemagne où il a enfin demandé l'asile.

Le projet était qu'il obtienne un permis de séjour en Allemagne, puis qu'il nous fasse venir par le processus dit de regroupement familial : lorsqu'un membre d'une famille obtient l'asile, il ou elle peut faire venir le reste de sa famille. Mais les réfugiés arrivaient en si grand nombre qu'il attendait encore. Pendant ce temps, à la télé, on voyait partir des vagues de population, et de nombreux amis nous disaient que le voyage était moins difficile qu'avant.

Nasrine, qui était particulièrement entêtée, n'arrêtait pas de dire qu'il fallait partir avant que l'Europe ne ferme ses portes, et en définitive la famille a accepté. Je n'aurais jamais pensé que cela puisse se produise, et j'étais ravie. La seule question était de savoir comment. Le voyage de Bland avait coûté plus de 6 000 euros, et duré plus d'un mois, avec beaucoup de marche à pied. Nasrine, le fauteuil roulant et moi ne pouvions pas faire ça. De toute façon la route par la Bulgarie n'était plus envisageable. Comme la crise empirait et que de plus en plus de réfugiés déferlaient sur l'Europe, le gouvernement bulgare avait demandé à l'UE de mettre au point une solution durable. Les ministres de l'UE enchaînaient sommets et réunions. Mais à part discuter et déplorer la situation, ils ne faisaient rien. Les Bulgares, qui en avaient assez, avaient décidé d'imiter la Grèce en construisant leur propre clôture pour empêcher les réfugiés d'entrer chez eux.

Ainsi, la seule solution était de franchir la mer, en traversant la mer Egée jusqu'à une des îles grecques — Lesbos, Samos, Kos ou Chios. Bland disait avoir rencontré des gens qui l'avaient fait. Sur la carte ça n'avait pas l'air loin.

10

A la recherche d'un passeur

Izmir, 22 août–1ᵉʳ septembre 2015

Quand j'ai vu où nous étions assises dans l'avion, je me suis mise à secouer la tête avec véhémence. Rangée 14, en plein milieu. J'avais vu quantité de documentaires sur les accidents d'avion et je savais pertinemment que l'endroit le plus sûr était à l'arrière. C'est d'ailleurs là que se trouve la boîte noire qui enregistre toutes les informations sur le vol. Le milieu de l'avion, c'était le pire.

— On ne peut pas s'asseoir au milieu ! ai-je chuchoté avec insistance à Nasrine après que le steward m'avait portée jusqu'à ma place et avait bouclé ma ceinture.

— Ne dis pas de bêtise. On ne peut pas bouger, a-t-elle répliqué.

Sous nos pieds, les moteurs se sont mis à vrombir et une hôtesse de l'air a fait le tour des passagers avec un panier de bonbons. L'avion s'est avancé sur la piste de décollage de Gaziantep, et j'ai agrippé les accoudoirs de mon siège. Je savais par des documentaires que j'avais vus que la plupart des crashs ont lieu au décollage ou à l'atterrissage. Quand notre avion a pris son élan j'ai fermé les yeux et prononcé une courte prière. Les roues ont quitté le sol et je me suis dit que ce devait être la sensation qu'on avait dans les grands huit des parcs d'attractions. Même si je voulais mourir dans l'espace, je ne voulais pas mourir en dessous de la ligne de Kármán, à la limite de notre atmosphère.

En ouvrant les yeux, j'ai remarqué que Nasrine avait fermé les siens. Je n'ai appris que plus tard qu'elle aussi avait peur, alors qu'elle ne disposait même pas de toutes les données sur les crashs aériens ! Comme quoi, même pour une étudiante en physique qui comprend les forces aérodynamiques telles que la portance et la traînée, ça ne semble pas tout à fait naturel que cet énorme engin puisse foncer à travers le ciel.

Nous avons décollé sans nous écraser, l'avion s'est stabilisé dans le ciel, et j'ai regardé par le hublot. En contrebas, tout était minuscule et les gens ressemblaient à des fourmis. Là-haut au milieu des nuages cotonneux, j'étais heureuse d'être dans un avion pour la toute première fois. Le vol pour Izmir a duré à peine deux heures, puis l'autre partie la plus risquée est arrivée : l'atterrissage. J'ai essayé de ne pas penser à tous les documentaires que j'avais vus. On ne s'est pas écrasés, mais j'ai cru que mes oreilles allaient exploser et pendant un temps fou après ça je n'entendais plus rien.

Le vol m'avait épuisée et j'ai dit à Nasrine que je souffrais du décalage horaire. Elle m'a répondu que c'était impossible puisque nous n'avions franchi aucun fuseau horaire. On a pris un taxi. Nasrine n'arrêtait pas de passer des coups de fil. Certains de nos proches se trouvaient déjà à Izmir, dont notre sœur aînée, Nahda, qui avait fait le voyage l'année précédente avec son mari, Mustafa, et ses parents. Désolée, il y a beaucoup de Mustafa dans notre famille !

* *
*

Le taxi nous a déposées sur la place Basmane, en face d'une mosquée et d'un poste de police. Il y avait des Syriens partout et des marchands avec des piles de gilets de sauvetage orange et des chambres à air noires. Nous avons retrouvé Mustafa au kiosque à journaux. Il nous a amenées dans l'une des rues voisines, où des petits groupes de gens assis sur le trottoir ou à des tables fumaient, buvaient du thé, jouaient aux dames ou attendaient sans rien faire. A côté de chaque personne il y avait un sac à dos, glissé parfois dans un sac-poubelle noir pour le protéger de l'eau.

Nous nous sommes arrêtés dans un hôtel miteux. Mustafa nous a expliqué que notre sœur et sa famille habitaient au sous-sol. Des jeunes hommes m'ont portée pour descendre les marches de béton. L'endroit était en pagaille : plein à craquer de gens, de matelas et de paquets de biscuits vides. Nahda nous attendait là avec ses quatre filles — de Slav, neuf ans, à bébé Helaz que nous n'avions jamais vue — et des parents de Mustafa qui effectueraient le trajet avec nous. Mustafa resterait à Izmir parce que son père et sa mère étaient âgés et ne pouvaient pas voyager. C'est donc son neveu Mohammed qui veillerait sur Nahda (on a beaucoup de Mohammed aussi !)

Cela faisait déjà deux nuits qu'ils étaient là. Quelqu'un nous a apporté des sandwichs car nous avions très faim et, pendant que nous mangions, un de nos cousins nous a raconté qu'il y avait eu un chat dans le sous-sol la nuit précédente. Un chat ! J'ai piqué une crise : « Je ne dormirai pas ici ! » J'étais si fatiguée et stressée à cause du chat que je n'ai pas remarqué que beaucoup de gens du groupe avaient découvert mon fauteuil roulant avec horreur. Nahda n'avait rien dit à sa belle-famille. Ils se demandaient comment j'allais faire pour la traversée en bateau.

Après une autre série de coups de fil, ils ont fini par nous emmener dans la maison d'une connaissance, oncle Ismael. Il était environ 2 heures de l'après-midi, mais j'étais tellement épuisée que je me suis endormie sur le canapé sans dire un mot.

Quand je me suis réveillée, il y avait plein de gens qu'on ne connaissait pas. Me voilà dans le pétrin, ai-je songé, parce qu'il allait y avoir une grande enquête pour savoir pourquoi je suis comme ça, comment je suis née prématurée, et tout et tout. Tout ce que je déteste quand je rencontre des personnes pour la première fois. Je n'ai rien dit. J'aurais pu donner une conférence sur toutes les choses que je sais. J'aurais pu leur expliquer comment j'avais remplacé mon incapacité à me développer physiquement par un développement intellectuel qui me permettait d'apprendre de nouvelles notions chaque jour. Mais ça aurait mis tout le monde mal à l'aise. Alors je me suis contentée de regarder par terre et ils ont dû penser que j'étais autiste.

C'est alors qu'ils ont commencé à demander à ma sœur pourquoi on était partis avec quelqu'un comme moi et comment on allait bien pouvoir faire un tel voyage avec un fauteuil roulant. « On n'a pas eu le choix », leur a répondu Nasrine.

Le trajet en bateau jusqu'à la Grèce était planifié par oncle Ahmed, qui nous avait conduits depuis Manbij et serait accompagné de sa femme, tante Shereen. Nos trois cousins Mohammed, Dilba et Helda, dont les parents avaient été tués à Kobané, partaient aussi, tout comme Farmana, l'épouse de Mohammed, ainsi que d'autres cousins et leurs enfants. Au total, nous serions dix-neuf adultes et onze enfants — à seize ans, j'imagine qu'on pouvait encore me considérer comme une enfant.

Nous n'avions pas pensé nous éterniser à Izmir mais, à l'évidence, il allait nous falloir un délai plus long que prévu pour organiser le voyage. A ma grande joie, nous avons de nouveau emménagé à l'hôtel, même si ça puisait dans nos précieuses économies. C'était l'hôtel Daria, qui signifie « mer » en kurde, et Nasrine et moi étions chambre 206, soit le nombre d'os dans le corps humain.

L'hôtel était situé à l'angle de la place Basmane où nous nous rendions chaque jour. Là-bas, tout le monde donnait l'impression d'être en train de marchander au téléphone. On aurait dit une agence de voyages en plein air avec des réfugiés qui négociaient leur traversée avec des passeurs ou leurs agents. J'étais choquée de voir que certains passeurs étaient syriens, pour la plupart d'une ville tristement célèbre du nom de Azaz. Ceux qui n'étaient pas dans le négoce de bateaux achetaient ou vendaient des gilets de sauvetage. En plus des piles de gilets qu'on pouvait voir sur la place, toutes les échoppes du coin en vendaient, y compris le magasin de chaussures ou le kebab. Les boutiques de vêtements les présentaient sur leurs mannequins par-dessus des robes comme s'il s'agissait d'articles de mode.

Oncle Ahmed nous a emmenés à l'étage du café Sinbad, plaque tournante pour échanger des informations et organiser des traversées. Mon cousin Mohammed m'a portée, ce qui nous a valu quelques froncements de sourcils étant donné que j'ai dépassé l'âge de la puberté. Nous avons déjeuné de pains pita et de kebabs, mais la plupart des gens fumaient et buvaient du thé pour économiser leur argent.

A la télévision il y avait Angela Merkel, la chancelière de l'Allemagne, pays où tout le monde ou presque essayait d'aller parce que les allocations pour les migrants étaient avantageuses. L'Allemagne, le Danemark ou la Suède. Les nouvelles étaient bonnes. Le matin même, le gouvernement de Merkel avait tweetté que les Syriens ne seraient plus soumis au règlement Dublin II et que l'Allemagne nous accepterait même si nos empreintes digitales avaient été relevées ailleurs.

C'est étrange, après tous les documentaires sur la guerre que j'avais pu voir, j'avais toujours considéré les Allemands comme les méchants, et voilà qu'ils étaient nos sauveurs. Peut-être Mme Merkel essayait-elle de réparer les torts du passé et d'Hitler, ou peut-être était-elle différente parce qu'elle avait grandi en Allemagne de l'Est, derrière le mur de Berlin qui avait été construit quand elle avait sept ans.

Dans le café, tout le monde essayait de coordonner sa traversée vers la Grèce. Certains d'entre nous étaient arrivés par la route et en avion, d'autres par la route tout du long. De nombreuses personnes racontaient qu'elles avaient tout vendu pour venir ici, y compris les objets et maisons de famille, ou qu'elles avaient emprunté de l'argent. Un homme avait rencontré quelqu'un qui était allé jusqu'à vendre un rein pour financer son voyage.

Certains avaient déjà tenté la traversée. Nous avons rencontré une famille qui avait échoué parce que leur canot pneumatique, surchargé, avait coulé à pic. Mais ils retentaient leur chance. « Soit on meurt sous les tirs d'obus en Syrie, soit on meurt en mer », a conclu le père avec un haussement d'épaules. Même si la traversée de l'Egée était plus rapide et bien moins dangereuse qu'en pleine mer entre la Lybie et Lampedusa, au moins cinquante personnes s'étaient noyées depuis le début de l'année. « Il n'y a plus aucune vie en Syrie, a ajouté quelqu'un d'autre. C'est comme de se retrouver dans une maison en feu : c'est risqué de sauter par la fenêtre, mais quelle est l'alternative ? »

La traversée coûtait habituellement 1 000 dollars par personne, mais certains disaient qu'il valait mieux prendre un bateau en bois, ce qui revenait plus cher. A cause de mon fauteuil roulant, dont tout le monde pensait qu'il était trop lourd pour un canot, on essayait d'obtenir une sorte de yacht à moteur. C'est toujours moi qui pose un problème. Mahmud, le cousin de Mustafa, disait même que je devrais partir sans mon fauteuil.

Tandis qu'oncle Ahmed glanait des recommandations pour trouver un passeur, le reste de notre groupe est parti acheter des gilets de sauvetage. Un bon gilet coûte 50 euros. Au café, les gens nous avaient mis en garde contre les versions bon marché de fabrication locale à 15 euros : ils étaient rembourrés avec de la mousse et du matériel d'emballage qui absorbait l'eau et les empêchait de flotter. Les enfants de Nahda s'amusaient à les essayer, à part l'une d'elles qui pleurait. Suivant les conseils des clients du café, nous avons également acheté des ballons de baudruche. D'après eux, c'était le meilleur moyen de protéger nos précieux téléphones portables pendant la traversée : en les glissant dans un ballon.

En retournant à l'hôtel nous avons traversé la place où tout le monde négociait avec insistance au téléphone. « Il faut vous décider maintenant, il n'y a presque plus de place ! » faisait valoir un homme. « Je n'ai jamais perdu de passager », arguait un autre.

Chaque soir à la nuit tombante, des files d'attente se formaient sur la place à l'arrivée des bus qui venaient chercher ceux qui allaient traverser, comme s'ils partaient en vacances.

Et si ça ne suffisait déjà pas qu'il faille un bateau spécial à cause du poids de mon fauteuil roulant, voilà que Nasrine et moi faisions attendre tout le monde parce que Shiar était censé transférer les fonds pour notre traversée et que l'argent n'arrivait pas. Je savais que Mahmud et d'autres affirmaient qu'il fallait poursuivre sans nous. L'argent a fini par être viré et oncle Ahmed a appelé pour dire qu'il avait trouvé un bateau adéquat et que nous partirions la nuit suivante. J'avais du mal à y croire. Nous n'avions pas grand-chose à préparer, mais Nasrine a rechargé le téléphone et réorganisé notre sac à dos pour ne pas rester sans rien faire.

Le lendemain, le téléphone n'a pas sonné. Nous n'arrêtions pas de vérifier qu'il était bien allumé. Puis mon oncle a appelé. Il a expliqué à Nasrine que le passeur avait cessé de répondre au téléphone. Nous avons veillé tard, pensant que l'appel pouvait tomber à chaque instant, mais en vain. A 2 heures il ne répondait toujours pas ; c'était mauvais signe.

Au bout de deux jours, nous avons compris que l'homme avait disparu et que, comme beaucoup de gens, nous nous étions fait escroquer. Oncle Ahmed avait versé des arrhes, heureusement pas trop.

Puis la même chose s'est produite une seconde fois. Nous avons attendu un temps infini, parce que le type de bateau qu'il nous fallait ne se trouvait pas facilement. Comme août tirait à sa fin, nous avons commencé à nous inquiéter. On entendait dire que la mer était en furie, que les vagues étaient de plus en plus hautes et l'eau, glaciale. Nous avons été pris de panique. Plus nous attendions, plus la traversée allait être dangereuse. Nous savions bien que les autres avaient le sentiment que nous retardions tout le monde. Finalement, oncle Ahmed a annoncé qu'on partirait en canot à moteur mais qu'on paierait plus pour essayer d'en avoir un uniquement pour notre famille. Il a été décidé que si le fauteuil roulant posait un problème à bord, on s'en débarrasserait. Personne n'a précisé ce qu'il adviendrait de moi.

Cette fois-ci, mon oncle s'y est pris différemment. Pour contourner les escroqueries, un système avait été mis au point : l'argent était payé à une tierce partie, puis reversé au passeur une fois seulement que les gens étaient arrivés à bon port. La méthode consistait à verser l'argent à un « bureau d'assurance » en échange d'un code numérique. Puis, une fois arrivé en Grèce, il fallait appeler et donner le code à l'agent pour qu'il puisse récupérer la somme. Si le passager n'appelait pas au bout de trois jours, le passeur touchait quand même l'argent, et donc était payé même si la personne s'était noyée.

Comparés à d'autres, nous avions de la chance. Nous avons rencontré une famille avec un bébé et un nourrisson de dix jours qui dormaient dehors sur le parvis de la mosquée parce qu'ils avaient tout perdu. Ils nous ont raconté qu'ils étaient de Deraa, d'où la révolution était partie, et qu'ils avaient fui après qu'un raid aérien avait détruit leur maison. Ils étaient partis si précipitamment que Rasha, la femme, avait accouché en chemin. Il leur avait fallu vingt jours pour atteindre Izmir, où ils avaient donné 2 700 dollars à un passeur pour la traversée. L'homme avait disparu avec l'argent.

Comme je vous l'expliquais en parlant des « principes de Nujeen », je n'aime pas penser que les gens sont mauvais par nature. Mais avec des gens comme les passeurs, je n'étais plus aussi sûre de mon affirmation. Ils prenaient l'argent de personnes qui avaient déjà tout perdu ou presque et les réduisaient à la mendicité. Puis il y avait ceux qui envoyaient des gens en mer, y compris des enfants, dans des bateaux de mauvaise qualité. Je n'aime pas juger, mais quelle sorte d'homme envoie son prochain à une mort certaine en se faisant de l'argent sur son dos ?

Ça m'a rappelé la discussion que Nasrine et moi avions eue à Alep en 2006, quand Saddam Hussein avait été exécuté. J'étais troublée parce que je ressentais de la peine. Nous savons tous ce que Saddam a fait aux Kurdes — nous en faisions une affaire personnelle. Mais Nasrine m'a expliqué qu'il n'y avait pas de honte à avoir de la pitié, que nous voulions la justice, pas un règlement de comptes, et qu'en tout état de cause il n'aurait pas dû être exécuté pendant la fête de l'Aïd.

Lors du ramadan qui a précédé notre départ de Turquie, la télé a diffusé une émission sur les versets du Coran et la manière dont ils sont venus au Prophète (Que la paix soit sur lui). Il y avait l'histoire de l'Ethiopien qui tue Hamza le brave, l'oncle du Prophète, avec une lance. Le Prophète lui pardonne, l'homme devient musulman et plus tard use de cette même lance pour tuer un faux prophète. J'étais si heureuse que le Coran partage mon point de vue sur le bon côté de la nature des gens.

Mais la population des passeurs mettait ce principe à rude épreuve. Ces gens-là gagnaient tellement d'argent. J'ai calculé que si les migrants payaient en moyenne 1 000 dollars chacun et que le passeur en entassait jusqu'à 60 dans le même canot, cela représentait 60 000 dollars

Avec mon frère Bland. Il a toujours fait partie des grands moments de ma vie.

A la maison, à Manbij, en 2002 (j'ai trois ans), dans une robe blanche spéciale que Yaba (mon père) m'avait rapportée de La Mecque, où il avait fait son pèlerinage de la hajj.

A la fête de Newroz – nos célébrations traditionnelles kurdes de la nouvelle année –, en 2009 ; le régime nous a obligés à aller dans un endroit rocailleux à l'extérieur de la ville.

Sur la terrasse de notre appartement à Alep. Mon seul contact avec le monde extérieur.

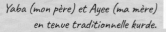

Yaba (mon père) et Ayee (ma mère) en tenue traditionnelle kurde.

Avec ma mère, en 2009, au bord du barrage de la rivière Quoueiq pour un pique-nique en famille. La rivière traverse Alep et, en 2013, a été la scène d'un atroce massacre lorsque 110 hommes ont été découverts, tués d'une balle dans la tête.

Après une série d'opérations en 2010.

Me voici en 2011 à un barbecue en famille sur les rives du fleuve Euphrate pour le festival Newroz, juste avant que la révolution puis la guerre ne se propagent dans le pays.

Le président Bashar el-Assad et son épouse, Asma (née en Grande-Bretagne), en 2003. À sa prise de pouvoir, en 2000, après la mort de son père, Hafez, nous nourrissions de grands espoirs, mais ils ont rapidement été déçus.

Alep, avec sa forteresse antique en arrière-plan.

La majeure partie de la ville est désormais en ruines, et des centaines de milliers de personnes ont pris la fuite.

Certaines des plus importantes manifestations contre le gouvernement ont eu lieu à Hama, après les prières du vendredi, en juillet 2011. Elles ont été brutalement réprimées. En 1987, la ville avait déjà été le théâtre d'une répression ordonnée par Hafez el-Assad, faisant 10 000 morts.

Des militants de Daesh sont entrés en Syrie en 2014, et ont fait de Rakka leur capitale.

Arrivée sur la plage de Lesbos après avoir effectué la traversée sur un canot pneumatique depuis la Turquie, le 2 septembre 2015.

En train d'être emmenée par la police croate dans une fourgonnette – nous avions peur qu'on prenne nos empreintes digitales et de devoir demander l'asile sur place.

En train de parler au journaliste de la BBC Fergal Keane pendant notre traversée de la Serbie. Je lui ai dit que je voulais être astronaute.

La frontière serbo-hongroise. Nous sommes arrivées au moment où la Hongrie ne laissait plus entrer personne. Bloquées, nous avons été contraintes de trouver un autre itinéraire.

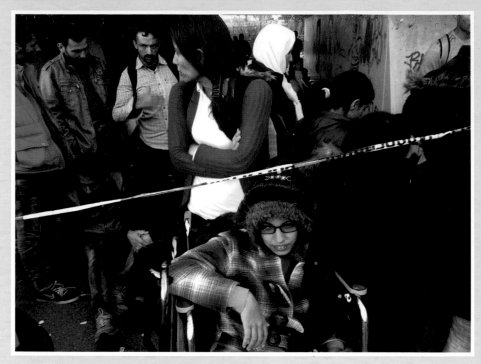

Enfin en Allemagne. Mais dans une file d'attente pendant cinq heures avant qu'un bus nous amène dans un camp. 21 septembre 2015 : c'est l'anniversaire de Nasrine.

Dans le camp de Rosenheim après notre arrivée en Allemagne. Epuisée, lasse, je veux voir mon frère !

Presque arrivées à la fin de notre voyage – le train pour Cologne.

Réunis ! Avec Bland et Nasrine dans notre nouvelle maison, à Wesseling.

Juin 2016 à Berlin : la rencontre avec Samantha Power, ambassadrice des États-Unis aux Nations unies.

La cité antique de Palmyre, que dirigea jadis la reine Zénobie, était un site touristique prisé. La cité est ravagée par Daesh en 2015, qui détruit entre autres l'arc de triomphe vieux de deux millénaires.

VALERY SHARIFULIN/TASS VIA GETTY IMAGES

Au zoo de Cologne, je vois pour de vrai les animaux que je ne connaissais qu'à travers les documentaires télévisés que je regardais jour et nuit à Alep.

En train de jouer au basket dans mon nouveau fauteuil roulant en Allemagne, en juin 2016.

Exilés de leur pays : mon frère Mustafa et mes parents à Gaziantep (Turquie) en avril 2016. Ils me manquent terriblement.

par traversée. Même en déduisant le coût de l'embarcation, des commissions aux agents et du bus jusqu'à la plage, ils devaient se faire au bas mot 30 000 dollars par traversée. Jusqu'ici, cette année-là, 300 000 personnes avaient franchi la mer de cette manière — soit des millions de dollars !

Au café Sinbad, nous regardions les informations sur CNN et Al Arabiya. La plupart des reportages parlaient de la « crise » des réfugiés, et montraient des masses de gens qui arrivaient sur les îles grecques et en Macédoine, en Hongrie et en Autriche, exactement là où nous nous rendions.

Le 31 août, Angela Merkel a donné une conférence de presse appelant l'UE à faire mieux[3]. « Si l'Europe échoue sur la question des réfugiés, alors ce ne sera pas l'Europe que nous espérions », a-t-elle affirmé. « Nous vivons dans des conditions très ordonnées, a-t-elle ajouté. La plupart d'entre nous ne connaissent pas l'état d'épuisement total mêlé à la peur. » Elle a terminé en disant : « *Wir schaffen das* » (Nous allons y arriver). J'aime bien cette femme. Ce sera peut-être elle notre reine Zénobie.

Le lendemain, pour notre dixième jour à Izmir, l'appel est enfin tombé. Oncle Ahmed avait trouvé un bateau pour nous emmener à Lesbos. Notre tour était arrivé.

11

La route de la mort

De Behram à Lesbos, mercredi 2 septembre 2015

Il était minuit passé lorsque le bus est enfin venu nous chercher place Basmane où nous attendions tous depuis des heures avec nos gilets de sauvetage et nos maigres possessions. D'autres groupes, dans l'attente comme nous, étaient déjà partis, nous laissant à chaque fois sur le carreau. Puis notre tour est enfin arrivé. Mon cousin Mohammed m'a portée à bord et j'ai demandé à Nasrine de s'assurer que personne n'en profitait pour se débarrasser de mon fauteuil roulant. Puis nous avons roulé dans la nuit, et la plupart d'entre nous se sont assoupis.

Soudain le bus s'est immobilisé dans un crissement de pneus. Les portes se sont ouvertes et des gendarmes turcs sont montés à bord en braquant leurs lampes-torches comme dans les films de guerre quand les nazis cherchent des Juifs. Qu'est-ce qu'on allait bien pouvoir raconter ? Nous leur avons dit la vérité : que nous étions des Syriens qui fuyaient la guerre. Ils nous ont dit qu'on devait rebrousser chemin. Le bus a fait demi-tour pour reprendre la route d'Izmir. Je n'arrivais pas à croire qu'on allait revenir en arrière après tout ça. Mais le chauffeur était gentil. Au bout de quelques kilomètres, il s'est arrêté et nous a dit de descendre et d'attendre un peu. Quelqu'un d'autre allait venir nous chercher. Il était environ 5 heures. Il nous avait déposés devant une usine d'huile d'olive abandonnée. Nous nous sommes blottis contre les murs, tremblant dans la pénombre qui précédait l'aube, à l'écart des îlots de lumière des lampadaires, craignant de nous faire de nouveau repérer par la gendarmerie. Nahda pleurait. Une de ses fillettes était restée dans le bus. Heureusement le conducteur s'en est rendu compte et l'a ramenée au bout de quelques minutes.

Mon oncle s'est mis à appeler le passeur dès le lever du soleil, mais il ne répondait pas. « Pas encore ! » ai-je fulminé. La lumière éblouissante du soleil devenait insupportable et je craignais que nous ne soyons pris dans un cercle vicieux d'arnaques sans fin.

Le passeur a fini par décrocher et, au bout de neuf heures, vers 14 heures, cinq taxis sont venus nous chercher. Ils ont emprunté la voie principale qui surplombait la mer, ont dépassé la sortie vers Assos et se sont arrêtés sur le bord de la route le long d'une oliveraie.

« Ouah ! » me suis-je exclamée tandis qu'on me déposait dans mon fauteuil. Dans le taxi, nous étions trop serrés pour voir quoi que ce soit, et voilà que nous étions face à des champs verdoyants parsemés de roches grises et d'oliviers noueux qui menaient à la mer d'un bleu étincelant. J'ai regardé tout autour de moi avec émerveillement. A l'ouest, sur une falaise, se dressaient les colonnes antiques d'Assos et les ruines de l'école de philosophie d'Aristote. De l'autre côté de la mer émergeait une île sombre et rocailleuse. « Voilà la Grèce », a annoncé oncle Ahmed.

Nasrine a rentré dans son téléphone les coordonnées Google qu'on nous avait données pour notre lieu de départ et nous nous sommes mis en route. Google annonçait 1,8 km, ce qui était peu, mais nous ne pouvions pas emprunter la route qui descendait pour rejoindre le rivage car nous risquions de nous faire repérer. A la place, il nous fallait traverser les oliveraies. Le chemin, en pente, était dur et rocailleux. Nasrine et un de mes cousins ont été contraints de me porter dans mon fauteuil sur la majeure partie du trajet. J'ai rapidement eu mal au dos à cause des secousses, mais tout le monde m'encourageait : « Tu es la reine, la reine Nujeen dans ton fauteuil. » J'avais l'impression d'être une monarque antique qu'on transportait dans une litière, comme le roi Hérode dans un biopic que j'avais vu sur Joseph — qu'on appelle Youssef.

Une fois arrivés sur le rivage, le sol n'était pas sablonneux comme je l'avais imaginé, et mon fauteuil ne pouvait toujours pas rouler. Nous pensions être au bon endroit à cause des couches, des vêtements, des médicaments et de deux vieux gilets de sauvetage qui jonchaient la plage, trahissant partout la présence de réfugiés.

Mais nous étions arrivés au point de départ d'un autre passeur. Pour nous, le bon endroit se situait 800 mètres plus loin sur la plage, mais une falaise, incontournable, barrait le chemin. Nous avons été obligés de remonter sur la colline puis de descendre de l'autre côté. La montée était déjà bien difficile, mais la descente s'est révélée quasiment impossible avec mon fauteuil. Le sol était glissant et les cailloux n'arrêtaient pas de rouler sous notre poids. Nous étions de plus en plus fébriles. Un groupe attendait en contrebas. Voyant nos difficultés, six Marocains sont remontés pour nous aider. Comme ils avaient de la corde sur eux, ils s'en sont servi pour attacher le fauteuil et fabriquer un système de poulie de fortune.

Nous sommes enfin arrivés à destination. Il était déjà

5 heures du soir et la mer scintillait dans le soleil couchant.
Cette plage-là aussi était jonchée de débris abandonnés
par les réfugiés, mais peu importe. Nous étions fatigués
et heureux d'être ici. Certains bateaux prenaient la mer,
mais on nous a informés que le nôtre ne partirait pas
avant le matin et qu'on resterait la nuit dans l'oliveraie.
Une nouvelle nuit froide passée dehors. Je n'avais encore
jamais entendu le bruit des vagues sur le rivage. Je me
suis laissé bercer par leur clapotis et la brise qui soufflait
dans les arbres.

Le passeur, qui était turc mais kurde — donc nous lui
avions fait confiance —, est arrivé le lendemain matin
avec des bateaux dans des boîtes « *Made in China* » pour
nous et les autres groupes qui attendaient. Une fois notre
canot gonflé, oncle Ahmed s'est mis en colère. Nous avions
payé plus pour avoir une embarcation neuve, et celle-ci
à l'évidence était vieille, avec une grosse rustine dans le
fond. En plus, le moteur ne faisait que 20 chevaux au lieu
des 30 habituels. Le passeur s'est contenté de hausser les
épaules. Que faire ? On n'allait pas retourner à Izmir et
tout recommencer depuis le début.

A 11 heures, les quatre bateaux étaient prêts et nous
avions enfilé nos gilets de sauvetage, mais le passeur
nous a informés qu'il attendait que les garde-côtes turcs
s'éloignent.

Alors nous avons passé la journée entière à attendre,
sans rien à boire ni manger, mis à part les morceaux de
sucre et le Nutella, et rien d'autre à faire si ce n'est fixer
l'étendue d'eau que nous devions traverser. Fatigués, nous
avons fini par retirer nos gilets. Dans l'après-midi le vent
s'est levé et les vagues ont enflé. Je commençais à me

dire qu'on allait mourir sur cette plage. Vers 16 h 30 le passeur nous a dit de remettre nos gilets et que le pilote de chaque groupe devait se tenir prêt. Dans notre cas, c'était oncle Ahmed, mais les autres groupes ne semblaient pas avoir compris qu'il n'y aurait pas de pilote et n'avaient pas choisi le leur. Puis, à 17 heures, les garde-côtes ont fini leur quart : il était temps de partir. Nahda et son mari se sont dit au revoir — Mustafa restait pour s'occuper de ses parents.

On a fixé les moteurs aux canots avant de les pousser au large, puis tout le monde a pataugé dans l'eau pour grimper à bord, certains portant les enfants en bas âge au bras. Je me suis soudain aperçue que j'étais la dernière sur le rivage. Dans l'angoisse du départ, même Nasrine s'était précipitée dans un canot. « Et moi ? » ai-je crié.

Nos amis marocains, qui attendaient toujours leur embarcation, m'ont portée dans mon fauteuil jusqu'au canot et m'ont déposée à bord.

« Au revoir, la Turquie », ai-je lancé tandis qu'oncle Ahmed démarrait le moteur.

Depuis la mer, l'île avait l'air beaucoup plus lointaine. Notre canot gris foncé était très petit. Même si nous avions payé plus cher pour ne transporter que les trente membres de notre famille à bord, ce qui était bien mieux que les cinquante passagers et quelques qu'on avait vus entassés dans les autres bateaux, ça restait tout de même le double du « maximum : 15 pers. » notifié sur la boîte, tout particulièrement avec mon fauteuil roulant, et nous étions écrasés les uns contre les autres.

Comme pour tout le reste, c'était ma première fois

sur un bateau. J'avais l'impression d'avoir six ans, et non pas seize.

— Pourquoi es-tu stressée ? m'a demandé Nasrine.

— Je ne suis pas stressée, je suis surexcitée de faire plein de choses pour la première fois, ai-je répondu.

— Ce n'est pas de la surexcitation, c'est de la peur. N'aie pas peur.

Nasrine ne montrait jamais sa peur parce qu'elle savait que tout ce qu'elle faisait avait un impact sur moi. C'était elle qui connaissait le monde extérieur, et je calquais toutes mes réactions sur les siennes.

J'ai respiré profondément comme dans *Brain Games* et j'ai jeté un œil à tous les passagers. Après deux jours sans sommeil passés sous un soleil de plomb sans rien à boire, on était tous dans un état second. Mes trois cousins — dont la mère et le père avaient été tués —, l'air triste, ne disaient pas un mot. Beaucoup, les yeux fermés, étaient en train de prier. Nasrine, accroupie au fond du bateau, tentait d'empêcher mon fauteuil de bouger.

Notre sœur aînée, Nahda, évitait de regarder la mer. Son bébé et ses trois fillettes pleuraient, et elle concentrait son énergie à les calmer. Elle était angoissée, parce qu'elle avait décidé d'arracher ses enfants à l'environnement empoisonné de la guerre pour les emmener dans un endroit où elles pourraient continuer à vivre, à aller à l'école, mais à présent cette décision semblait une lourde responsabilité pour une femme seule de trente-trois ans et elle se demandait si elle avait bien fait de partir.

Oncle Ahmed, les sourcils froncés, tentait de manœuvrer le bateau. Il avait passé les deux jours précédents dans l'hôtel d'Izmir à étudier des vidéos sur YouTube pour savoir comment s'y prendre. Au départ, il a trop poussé le moteur : le bateau a fait un bond puis s'est mis à zigzaguer pendant qu'il essayait de redresser le cap. « Attention ! » a crié tante Shereen tandis qu'il fonçait droit sur une vague et que l'eau débordait par les côtés. La mer était beaucoup moins calme qu'elle ne l'avait semblé un peu plus tôt. Au début, je trouvais ça agréable de sentir les embruns après être restée en plein soleil toute la journée. Ça lavait enfin mon T-shirt « *Young Forever Love* » que je portais depuis des jours. Mais tandis que les vagues nous faisaient tanguer, des cousins ont commencé à avoir des haut-le-cœur. D'autres pleuraient et criaient « Oh mon Dieu ! »

A un moment donné, une vague nous a tous projetés sur un côté, et ma tante a perdu son sac et tous ses objets de valeur. On avançait au ras des vagues. Mes cousins écopaient l'eau du canot avec une chaussure. Parfois, les gens se délestent, mais nous n'avions pas grand-chose. « On n'aurait jamais dû prendre le fauteuil roulant », a dit Mahmud.

J'avais du souci à me faire — je savais bien que cette étendue d'eau pouvait être notre dernière demeure. Naturellement je ne sais pas nager. Je n'ai jamais été dans l'eau. Aucun de nous ne savait nager. Pourtant, assise dans mon fauteuil, en surplomb par rapport aux autres, je me suis vue tel Poséidon, le dieu des mers, dans son char. Je me figurais l'hippocampe mi-cheval, mi-poisson qui le tirait, et imaginais apercevoir à travers les embruns les Néréides, filles de Poséidon, à dos de cheval marin, en train de rejeter leur longue chevelure et de rire dans le vent.

Cette pensée m'a fait sourire. « Regarde, Nahda, comme c'est beau ! » me suis-je exclamée tandis que nous étions ballottés par les flots. Je riais à chaque nouvelle vague qui nous aspergeait. « Faut que tu te fasses soigner, à rigoler comme ça », a lâché quelqu'un. En réalité je priais, moi aussi, mais en silence.

*
* *

Nous étions tellement concentrés sur notre embarcation que nous n'avons pas prêté attention aux trois autres qui étaient parties en même temps que nous. Mais Mustafa, qui grimpait sur la falaise pour suivre notre avancée à la jumelle et faire un rapport à nos parents, était horrifié. Sous ses yeux, le premier bateau était parti avec les vagues qui l'avaient rapidement retourné. Nous étions le deuxième canot à quitter le rivage. Le troisième avait bien avancé avant de chavirer à l'approche de l'île, obligeant ses passagers à nager. Le quatrième avait été intercepté par les garde-côtes turcs. Mustafa, en pleurs, était au téléphone avec mon père : il ne savait pas si c'était nous. En réalité, nous nous en sortions mieux parce que nous étions comparativement moins nombreux à bord et que les leçons de navigation qu'oncle Ahmed avaient étudiées sur YouTube se révélaient utiles. Il avançait contre les vagues au lieu de les suivre et nous avait fait asseoir du côté où frappaient les rouleaux pour empêcher le bateau de se soulever.

Au bout d'un moment, la brume est tombée et nous ne pouvions plus distinguer Lesbos devant nous. J'espérais qu'on maintenait le cap. Mahmud n'arrêtait pas de regarder mon fauteuil. Je savais bien qu'on s'était mis d'accord pour le jeter par-dessus bord en cas de danger, mais quand même, il n'allait pas faire ça…

Je restais à l'affût des pirates et des garde-côtes turcs, mais les seules personnes en mer semblaient être des réfugiés. Des centaines de personnes faisaient la traversée chaque jour et deux autres canots nous talonnaient de peu. Je ne me rendais pas compte à quel point la mort était proche. Il suffisait que mon fauteuil fasse un petit accroc dans le tissu, et c'était le naufrage ; et à tout moment une grosse vague pouvait nous faire chavirer.

C'est ce qui est arrivé à une autre famille syrienne qui faisait la traversée ce jour-là. A cet instant-là, nous ne le savions pas encore, mais plus tôt dans la journée dans ces mêmes eaux agitées, un peu plus au sud entre la péninsule de Bodrum et l'île de Kos, se trouvait un autre canot pneumatique comme le nôtre. A bord il y avait seize Syriens, dont un coiffeur du nom de Abdullah Kurdi, sa femme Rehanna et leurs deux petits garçons, Ghalib, cinq ans, et Aylan, trois ans. Comme nous, ils étaient kurdes, venaient de Kobané, et espéraient commencer une nouvelle vie en Allemagne.

Bien que la traversée jusqu'à Kos soit brève, à peine 6,5 km (moins que les 13 kilomètres qui séparent Behram de Lesbos), cet endroit de la mer, plus au sud, est davantage exposé. Au bout d'une heure, balloté sur les eaux, leur canot a soudain été renversé par une vague plus importante que les autres, jetant tous les passagers par-dessus bord. Abdullah a tenté de se cramponner à toute sa petite famille, mais l'un après l'autre ils ont été emportés. Il est resté pendant trois heures dans l'eau à les chercher désespérément, mais ils avaient disparu. Onze des passagers se sont noyés, parmi lesquels cinq enfants.

Le lendemain, la photographie du petit Aylan Kurdi, gisant face contre sol dans l'écume des vagues sur une plage turque, bien habillé avec son T-shirt rouge et son bermuda bleu, a fait le tour du monde. Plus tard, en la voyant sur Facebook, j'ai pensé que ça aurait pu être moi. Il a fallu que j'éteigne le téléphone, que je prenne une profonde inspiration et que j'essaie de me convaincre : c'est un petit garçon innocent, il est au paradis, il est heureux à présent.

Lorsque j'en ai parlé avec mes sœurs, nous étions toutes d'accord : si nous en avions entendu parler avant la traversée, nous serions rentrées à Gaziantep.

Pour une personne normale, le trajet en ferry entre l'ouest de la Turquie et Mytilène, la capitale de Lesbos, coûte 10 euros et dure quatre-vingt-dix minutes. La même traversée en tant que réfugiés nous avait demandé douze jours de préparation et s'élevait à 1 500 dollars par personne.

Nous étions en mer depuis trois heures et demie, le soleil se couchait et nous commencions à frissonner lorsque soudain l'île s'est dressée face à nous comme un géant de pierre noire. Nous avons bientôt distingué des gens qui attendaient sur le rivage.

— Qui parle anglais ? criait quelqu'un.

— Moi ! ai-je répondu.

Tout le monde m'a regardée. Ça a été le tournant de ma vie, encore plus que quand Nasrine m'avait dit que ça n'était pas grave de ressentir de la peine à l'exécution de Saddam. C'était la première fois que je parlais anglais avec un vrai anglophone.

12

La liberté comme une personne normale

J'ai eu l'impression qu'on avait pris une douche salée. Le canot s'est heurté au rivage rocailleux où des visages amicaux et des mains tendues nous attendaient, avec des serviettes, des bouteilles d'eau et des biscuits. Certains membres de ma famille étaient trop hébétés pour sortir tout seuls de l'embarcation. Des bénévoles se sont avancés dans la mer pour nous venir en aide. Ils ont découvert mon fauteuil avec surprise et l'ont soulevé jusqu'à la terre ferme. « Vous êtes la première réfugiée qu'on voit en chaise roulante », m'ont-ils dit.

Ma tante Shereen a embrassé le rivage et s'est mise à prier. Les autres se prenaient dans les bras ou étreignaient les bénévoles. Nahda pleurait. D'autres ont aussitôt remonté la plage. Un de mes cousins s'est souvenu qu'il fallait crever le canot avec un couteau. Le passeur nous avait expliqué que si le bateau était encore en état de naviguer, les gardes-côtes grecs risquaient de nous renvoyer. Un pêcheur est venu prendre le moteur.

La personne qui avait demandé si quelqu'un parlait anglais était un photojournaliste espagnol. Il m'a interrogée sur le voyage.

— Ça m'a plu parce que je ne crois pas que j'aurai l'occasion de recommencer, ai-je répondu.

— C'est la première fois que vous voyez la mer ? a-t-il demandé.

— Oui, et elle est magnifique, je trouve, ai-je acquiescé en souriant.

Puis il m'a posé une dernière question :

— Qu'attendez-vous de l'Europe ?

J'ai réfléchi un moment car c'était important.

— J'attends la liberté comme une personne normale.

Nous avions débarqué dans un endroit appelé Skala Sikaminias, un petit village de pêche sur la côte nord de Lesbos, où arrivaient souvent les canots. Connaissant les difficultés économiques de la Grèce, nous étions bouleversés par la bonté des gens. Parmi les bénévoles sur la plage trois vieilles dames habillées en noir ont apporté du lait chaud pour le bébé de Nahda ; elles me rappelaient ma grand-mère à Kobané. Nous avons appris plus tard que, comme beaucoup de gens sur Lesbos, leurs propres mères et pères étaient arrivés sur l'île sur des bateaux de réfugiés en provenance d'Izmir, qui s'appelait alors Smyrne à l'époque où la ville était essentiellement grecque. En 1922, pendant la guerre gréco-turque, des soldats turcs l'avaient attaquée, massacrant les Grecs et incendiant le centre historique. Ils avaient alors été des milliers à fuir par la mer Egée.

Les vieilles dames nous ont guidés le long de la côte jusqu'à un petit port avec des bateaux de pêche peints de couleurs vives, une minuscule église perchée sur un rocher du nom de Notre-Dame-la-Sirène et des gens attablés devant des bars en train de se restaurer et de boire. Le village était tellement beau qu'on aurait dit une carte postale. En face il y avait un centre communautaire avec une pièce remplie de vêtements secs donnés par les gens de l'île. Nous avons retiré nos habits mouillés et raidis par le sel. Rien n'était vraiment à la bonne taille, et nous avons ri en voyant les enfants dans des chemises pour adultes aux manches trop longues.

Les bénévoles nous ont expliqué qu'il y aurait un bus le lendemain matin pour aller au port de Mytilène, la ville principale, où les réfugiés devaient s'enregistrer pour pouvoir continuer leur voyage. Dans l'intervalle, nous allions devoir passer la nuit dehors sur la route principale, là où s'arrêtait le bus, parce qu'il n'y avait aucun endroit où dormir. Mon anglais se révélait très utile. J'étais en quelque sorte la traductrice officielle du groupe. Pour la première fois de ma vie tout le monde avait besoin de moi !

Puis est arrivé quelqu'un qui parlait grec à toute vitesse. Il y avait eu un drame, le canot derrière nous s'était retourné. J'ai poussé un cri : « Les Marocains ! » Mon chagrin était immense.

La nuit tombait et, avant toute chose, nous avions besoin de manger car nous étions affamés. Nous sommes allés dans un café à côté d'un grand mûrier et j'ai commandé un sandwich. En plus de son air bizarre, je lui trouvais un drôle de goût. Je m'attendais à ce que toute la nourriture occidentale se présente à la perfection comme dans *Masterchef*. J'ai interrogé la serveuse :

— Qu'est-ce que c'est ?

— Ne vous inquiétez pas, ce n'est pas du porc, c'est de la dinde, m'a-t-elle répondu.

Quoi qu'il en soit, c'était infect. Je trouve toujours un goût cru aux plats occidentaux, car notre cuisine kurde cuit beaucoup plus longtemps.

Comme toujours, Nasrine s'est plainte que j'étais difficile, mais elle est tout de même partie en quête d'une épicerie pour acheter des biscuits. A son retour, elle a raconté qu'elle avait rencontré un Syrien qui avait essayé avec sa famille de traverser par la Bulgarie, comme Bland : ils s'étaient retrouvés coincés dans la forêt pendant dix jours. Comme ils manquaient d'eau, ils étaient sortis des bois, et la police les avait arrêtés et renvoyés en Turquie. Ensuite, ils avaient décidé de traverser la mer pour aller en Grèce, mais à 3 kilomètres des côtes leur canot avait chaviré, les obligeant à nager. Nous avions eu tellement de chance.

Le chemin qui montait dans le village pour rejoindre la route était extrêmement escarpé : ça allait être difficile de me pousser. Mais les autorités locales avaient interdit aux simples citoyens de conduire des réfugiés. A la table voisine, au restaurant, un travailleur humanitaire turc du nom de Sardar a entendu notre conversation. « Elle ne peut pas monter là-haut ! » s'est-il exclamé. Il est allé à la police et a obtenu une autorisation spéciale pour me conduire. Il a pris Nasrine et moi à bord de son véhicule, mais le reste du groupe a dû parcourir à pied les 3 kilomètres qui montaient à travers le village. Encore l'avantage handicap !

Malheureusement, même cet avantage avait ses limites. Sardar nous a déposées au bord de la route à l'endroit où le bus allait s'arrêter et m'a donné son numéro de téléphone. Il y avait une sorte de parking où d'autres réfugiés étaient en train de dormir. C'était notre troisième nuit dehors, et la pire de toutes parce que nous étions juste au pied d'une falaise abrupte. La nuit a été éprouvante. Je repensais aux dessins animés de *Bip Bip et Coyote* en me disant qu'un gros rocher allait se détacher de la falaise et m'écraser. J'ai essayé de dormir dans mon fauteuil roulant, en vain. J'étais toute courbaturée et contusionnée d'avoir été bringuebalée dans l'oliveraie puis dans le canot.

Finalement, le jour s'est levé et le soleil est apparu d'un coup, comme un gros pamplemousse pâle. Quelqu'un a crié « Nujeen ! » Pour notre plus grand bonheur, c'étaient les Marocains qui nous avaient aidés. Ils nous ont raconté que leur canot pneumatique s'était bel et bien renversé, mais qu'ils savaient nager ; c'est comme ça qu'ils s'en étaient sortis. J'étais tellement soulagée.

Nous avons attendu des heures et des heures ; il n'y avait pas l'ombre d'un bus. Il faisait de plus en plus chaud et d'autres personnes se sont mises en marche, mais l'île de Lesbos est grande et le camp de réfugiés était à près de 50 kilomètres. Nasrine était prête à me pousser, mais j'ai pensé que ça nous prendrait des jours et qu'on finirait par fondre sous les 39 °C.

Heureusement, mon téléphone captait encore le réseau turc et j'ai pu appeler Sardar pour lui dire qu'on était bloquées. Il s'est organisé pour qu'une jeune bénévole de l'île, du nom de Kristine, vienne nous chercher, Nasrine et moi. Elle est arrivée vers midi dans une petite voiture jaune pleine à ras bord de provisions — de l'eau et des biscuits — pour les réfugiés. La voiture était tellement remplie qu'on a eu du mal à grimper dedans. Il n'y avait absolument aucune place pour Nahda et ses enfants. Kristine lui a dit d'attendre, qu'elle reviendrait les chercher. Le reste de la famille s'était déjà mis en route à pied.

Le trajet, long et sinueux, a duré une heure, mais il était tout simplement magnifique. Nous avons suivi les lacets de la route le long de la côte, passant devant des files de réfugiés qui semblaient interminables. D'un côté on voyait la mer, de l'autre des forêts d'oliviers noueux et au-delà les montagnes. Kristine nous a expliqué que l'île était réputée pour ses olives. J'ai pensé à oncle Bozan et ça m'a rendue triste. Nous sommes passées devant un vieux château byzantin sur le front de mer, avant d'apercevoir les abords d'une ville avec des maisons de pierre et des toits de tuile — Mytilène. Kristine nous a déposées à un café et j'ai commandé un chocolat chaud en anglais. Nous avons attendu là pendant deux heures tandis qu'elle rebroussait chemin pour aller chercher Nahda et ses enfants.

Dans l'intervalle, nous avons regardé les touristes avec leur peau de homard bouilli, leurs lunettes de soleil trop grandes et leurs chapeaux de paille, qui sentaient l'huile de noix de coco et commandaient des cocktails bariolés. Tous ces gens profitaient de leurs vacances sans se douter qu'un peu plus bas des familles dormaient au bord de la route après avoir fui la guerre et les bombardements.

Sur Lesbos, le principal camp de réfugiés s'appelle Moria. En le découvrant nous avons été choquées. C'était une ancienne base militaire qui ressemblait à une prison avec des hauts murs et des fils barbelés. Et tout ce monde ! Un responsable du camp a inscrit au marqueur des numéros sur notre poignet, puis nous a accompagnées jusqu'à une cabane bondée de réfugiés. L'endroit était immonde et beaucoup de personnes avaient l'air malade, à tousser ou souffrir de problèmes d'estomac. La salle de bains et les toilettes n'étaient pas praticables pour moi : il n'y avait rien pour qu'une personne handicapée puisse se tenir.

Le reste de notre groupe qui arrivait à pied par la route n'était pas encore arrivé, mais on ne voyait pas comment rester dans un tel endroit. Alors Kristine nous a accompagnées près de la côte jusqu'à un autre camp du nom de Pikpa, qui avait été installé par une association caritative pour les malades et ceux qui avaient le plus besoin d'aide. Il était censé accueillir des familles syriennes, mais il y avait des Afghans et des Irakiens. Pikpa était doté de bungalows en bois, mais ils étaient déjà pleins, et les bénévoles nous ont accompagnées à une tente canadienne de 3,50 m de côté pour moi, mes deux sœurs, mes quatre nièces, mais aussi Mohammed, le neveu de Mustafa, qui était censé veiller sur Nahda.

A côté de nous se trouvait une autre famille syrienne avec une fillette qui avait les yeux très rouges et infectés. Leur canot pneumatique avait chaviré suite à une panne de moteur, et ils avaient passé onze heures dans l'eau avant d'être secourus. Une autre famille nous a raconté qu'il y avait tellement d'eau dans leur canot qu'ils avaient tout jeté par-dessus bord, jusqu'au sac qui contenait leurs bijoux en or et leur argent, et qu'il ne leur restait plus rien.

On nous a donné des tapis de sol, mais certaines personnes dormaient sur des cartons. Le campement était près de l'aéroport et, entre les avions qui nous survolaient à basse altitude et tous les enfants qui criaient, le boucan était infernal. Ça m'a rappelé Manbij et les bombardements, et je me suis bouché les oreilles. Je détestais cet endroit, brûlant la journée et plein de moustiques la nuit. Les enfants de Nahda n'arrêtaient pas de gémir et mes sœurs se plaignaient du manque d'hygiène — il y avait des ordures partout et les autres réfugiés appelaient le camp la « jungle ». Il y avait des toilettes séparées pour les hommes et les femmes, mais pas de salles de bains. Seul un rideau séparait les hommes des femmes, et la puanteur était telle que personne ne tenait plus de cinq minutes. J'ai remarqué que de nombreuses femmes étaient voilées et se plaignaient qu'il leur était impossible de faire les ablutions que nous effectuons avant la prière. Certains hommes se lavaient dans la mer. Nasrine et Nahda voulaient nettoyer nos vêtements, mais il y avait une longue file d'attente pour utiliser le lavabo.

Tous les gens qu'on rencontrait avaient les yeux braqués sur mon fauteuil roulant. « Oh ! Comment elle a fait pour arriver ici ? » Une des bénévoles m'a dit qu'elle m'avait vue à la télé. L'interview que j'avais donnée en arrivant m'avait rendue célèbre ! C'est drôle, parce que j'oublie toujours que je suis en fauteuil roulant. A chaque fois que je m'imagine sur un lieu touristique, comme le Victoria et Albert Museum à Londres, je me vois marcher. J'oublie que je serai sur une chaise roulante avec quelqu'un pour me pousser.

Bland nous avait expliqué que la première chose à faire en arrivant dans un nouveau pays était de se mettre en quête d'une carte SIM locale. A la grille, nous avons trouvé des gens qui en vendaient, ainsi que des recharges et des bouteilles d'eau. Le campement avait une zone pour recharger son téléphone, pour laquelle il fallait faire la queue — tout le monde voulait recharger son portable. Il y avait des crayons de couleur pour les enfants, et des dessins avaient été punaisés au mur. Certains représentaient des maisons, avec des bonhommes bâtons à la porte et des bombardiers dans le ciel. Un dessin montrait une fleur qui dégoulinait de sang.

C'est en attendant que nos téléphones soient rechargés

que nous avons entendu parler du petit Aylan Kurdi pour la première fois. Sur le moment, j'ai refusé de regarder les photographies car je savais que ça ne serait pas bon pour mon mental.

La semaine que nous avons passée sur Lesbos a été dure. Les Grecs eux aussi traversaient une crise. Le pays était en faillite et la moitié des jeunes ne trouvaient pas de travail. La dernière chose dont ils avaient besoin était de réfugiés comme nous. Pas surprenant qu'il y ait si peu à manger au camp. On nous a donné des spaghettis, mais il n'y avait rien pour les faire cuire. Chaque jour, mes sœurs achetaient des tomates et une sorte de salami fait de viande de bœuf, et un peu de pain pour faire des sandwichs. Au bout d'une semaine, j'ai juré de ne plus manger de salami pendant un an. Nasrine se plaignait que les Grecs gardaient les réfugiés sur place délibérément pour injecter de l'argent dans leur économie.

Mais les bénévoles étaient très gentils. Et ils étaient débordés. Bientôt il allait y avoir 37 000 réfugiés sur l'île, quasiment la moitié de sa population. Mohammed est allé à la ville pour se renseigner sur les horaires et les billets de ferry, et nous a raconté qu'il avait vu beaucoup de gens dormir dans les parcs et dans la rue.

Mon anglais se révélait utile, et j'en étais ravie parce que j'avais le sentiment que je l'avais appris à la dure, sans livres ni leçons. Un jour, une bénévole m'a demandé de traduire pour une dame kurde dont la fille avait une infection aux reins : elles voulaient que je lui explique pour les médicaments. Après coup, la femme n'arrêtait pas de me remercier. « Je suis si heureuse, tu es un ange », disait-elle. Tout ça grâce à *Des jours et des vies* !

**

Même si nous étions tous là pour fuir des conflits, j'imagine que d'entasser un tel nombre de gens désespérés qui n'avaient aucune envie d'être ici engendrait forcément des tensions, et des bagarres ont éclaté. Pour rallier le continent à partir de Lesbos, il faut un papier du gouvernement grec octroyant la permission de séjourner trois semaines. Les Grecs avaient mis au point une procédure accélérée pour que les dossiers des Syriens soient traités en deux jours seulement — tandis que pour les autres nationalités il fallait compter plus d'un mois. Bien entendu, ça agaçait les autres, particulièrement les Afghans et les Irakiens qui fuyaient la guerre eux aussi. Un jour, il y a eu du raffut. Une grosse bagarre avait éclaté, et les Afghans et les Irakiens avaient mis le feu au centre qui contenait tous les dossiers administratifs pour protester contre le traitement de faveur des Syriens.

L'incident a tout ralenti pour tout le monde. Nahda commençait vraiment à s'énerver : elle avait peur que ses enfants tombent malades à cause de la chaleur et de la crasse, et elle n'arrêtait pas de me demander de parler aux gens et d'appeler Sardar et Kristine. Enfin, le septième jour, on nous a annoncé que la police était en route et qu'il fallait se rassembler sur la place centrale. Les représentants grecs sont enfin arrivés : ils ont pris nos nom, date de naissance et lieu d'origine. Les gens avaient peur de donner leurs empreintes digitales à cause du règlement Dublin II, même si les Allemands avaient précisé que cela n'avait pas d'importance.

Quand notre tour est arrivé, c'est moi qui ai traduit. J'ai expliqué que nous étions des Kurdes fuyant Alep et que nous n'avions pas de papiers. J'avais du mal à me concentrer parce que le policier avait posé une tasse de café sur la table et que je n'arrêtais pas de la regarder tellement j'avais envie de la boire.

A la fin de la journée, nous avions obtenu la précieuse autorisation. Valable pendant trois semaines, elle disait que les autorités grecques n'exerceraient pas leur droit de nous arrêter. Ce bout de papier faisait penser à un des tickets d'or de Willy Wonka. Nous n'avions plus aucune raison de rester. Un ferry partait le soir même, qui nous amènerait à Athènes en douze heures pour 60 euros chacun. Mais, en définitive, nous sommes restés cette nuit-là : Mohammed avait oublié de se munir de nos autorisations quand il était allé acheter les billets. Le reste de notre famille, qui se trouvait à Moria, a continué sans nous.

Le soir suivant, nous avons appelé un taxi pour 8 heures, avant le coucher du soleil, mais il n'est pas venu. Nous attendions à l'entrée du camp. Le garde avait six chiens qui tournaient partout, ça m'a rendue folle. Enfin, à minuit, le taxi est arrivé pour nous conduire au port. Nous sommes descendus devant un magnifique bâtiment ancien comme ceux que les riches d'Europe possédaient il y a des siècles, et je me suis demandé qui avait bien pu habiter là.

Le ferry pour Athènes partait à 3 heures du matin, et le terminal était plein de réfugiés. Certains avaient monté des petites tentes et dormaient. Nahda et ses enfants se sont blotties les unes contre les autres sur les marches de l'édifice des douanes. Je commençais à m'assoupir dans mon fauteuil lorsque la meute de chiens est réapparue. Ils devaient être une douzaine à chercher à mordre. Je n'en croyais pas mes yeux. Ces bêtes sauvages me suivaient !

Nasrine a essayé de me rassurer :

— Calme-toi. Regarde, il y a un joli chiot.

— C'est pas un joli chiot, c'est un monstre ! ai-je grondé.

Puis le ferry est arrivé en glissant sur les eaux avec ses lampes vertes étincelantes. Il était immense, grand comme un bâtiment à plusieurs étages, et je me suis demandé comment il allait entrer dans le port. J'ai cru qu'on allait devoir prendre un petit bateau pour le rejoindre, mais il s'est avancé jusqu'à la jetée.

Enfin, à 4 heures du matin, la police nous a annoncé qu'on pouvait embarquer. Elle m'a amenée à l'avant de la file, et j'ai été la première à bord. Le ferry avait cinq ponts — nos places étaient situées sur le troisième et, pour une fois, il y avait un ascenseur.

Le moteur s'est mis à vrombir, puis le ferry a bougé. Nasrine est montée sur le pont supérieur pour voir le soleil se lever sur les toits en terre cuite de Mytilène tandis que nous prenions le large.

J'étais surexcitée. C'était la première fois que j'embarquais sur un navire. Et nous mettions le cap sur le berceau de la démocratie. Mais, épuisée, je me suis endormie avant même que nous sortions du port.

13

La Belle Porte[4]

Athènes-la Macédoine, 10-15 septembre 2015

Je regardais fixement l'ange sur le mur de la chambre d'hôtel comme si je pouvais le faire voler. Ça peut paraître fou, mais plus que tout je voulais entreprendre ce voyage comme tout le monde.

Le reste de notre famille avait fait route vers le nord, en direction de la frontière avec la Macédoine, redoutant que la police ne la ferme à cause des milliers de réfugiés qui s'y amassaient. Oncle Ahmed, tante Shereen et tous nos cousins s'étaient mis en route avant même que nous soyons à Athènes.

La belle-famille de Nahda attendait depuis la veille que nous arrivions par le ferry. J'étais impatiente de débarquer à Athènes, mais le port du Pirée, immense et déroutant, empestait tellement le poisson que j'en ai eu un haut-le-cœur. Tandis que Nasrine me faisait descendre par la rampe, nous avons aperçu un campement de misère sur le quai et des réfugiés dans des tentes de fortune. On entendait des cris — un groupe de travailleurs portuaires manifestait contre la liquidation du port. Puis, telles des sangsues, les passeurs ont fait leur apparition : « C'est pour l'avion ? la route ? pour un passeport ? » On a essayé un taxi, mais ils exigeaient le triple de ce qu'on nous avait dit de payer. Heureusement, un membre de la belle-famille de Nahda nous a amenées à une station pour prendre le métro, pas facile à négocier avec le fauteuil roulant mais beaucoup moins cher. Parfois on dirait que tout le monde essaie d'escroquer les réfugiés.

La belle-famille de Nahda séjournait à Athènes dans un appartement aux murs poisseux et sans fenêtres que leur avait retenu le passeur qu'ils avaient payé pour aller en Macédoine. Ils nous ont préparé des œufs et des tomates pendant que Mohammed est sorti nous chercher une chambre d'hôtel à proximité, car ils partaient le lendemain matin à 10 heures dans un bus qui les amènerait à la frontière macédonienne. Ce n'est pas si facile de réserver dans un hôtel quand on est réfugié. Souvent, on se fait refouler, ou facturer plus cher parce qu'on n'a pas de papiers. Comme s'ils pensaient qu'on était sales, ou criminels — alors qu'on est comme tout le monde, sauf qu'on a perdu notre maison. Nous nous sommes installées au New Dream Hotel. Notre chambre avait des lampes bleues et la peinture d'un ange au-dessus du lit. Nahda logeait avec sa famille puisqu'elle allait partir avec eux. Ils nous ont acheté du pain et du salami halal, et nous avons pris Nahda dans nos bras pour lui dire au revoir et se souhaiter bonne chance.

Il ne restait donc plus que Nasrine et moi, les deux sœurs, à défaut des trois mousquetaires. C'était la première fois que nous devions nous débrouiller toutes seules, qui plus est dans une grande ville étrangère. J'ai allumé la télé, un vieux téléviseur noir et blanc, et j'ai fait défiler les chaînes à l'aide de la télécommande pour dénicher un programme en anglais. J'ai enfin trouvé quelque chose : une émission sur MTV intitulée *I Used to Be Fat*. Allongée sur le lit, je me suis laissé transporter au bon vieux temps du cinquième étage à Alep.

J'entendais chanter et l'eau qui coulait dans la salle de bains. « De l'eau chaude ! criait Nasrine. C'est si bon de se laver ! » C'était la première fois en onze jours, depuis notre départ d'Izmir, que nous pouvions nous doucher correctement. Il ne nous manquait plus que des vêtements propres. Nous utilisions encore ceux que nous avions obtenus à notre arrivée à Lesbos.

Notre famille ne nous avait pas abandonnées à notre sort. Shiar arrivait en avion pour nous trouver de faux passeports — censés être monnaie courante à Athènes — afin d'acheter des billets d'avion directs pour l'Allemagne et nous épargner le voyage par la route. Tout le monde était d'avis qu'un tel périple était trop difficile en fauteuil roulant. Peut-être pensaient-ils qu'on allait les ralentir.

J'étais triste.

— Tu sais quoi, Nasrine ? Je veux faire le trajet comme tous les autres. Tu comprends ce que ça veut dire ?

— Oui, moi aussi.

Bientôt Shiar est arrivé, un vrai moulin à paroles comme à son habitude. Il nous a dit de rester dans la chambre et de tirer les rideaux, ce qui m'agaçait au plus haut point parce que je mourais d'envie de voir l'Acropole. J'avais du mal à croire que nous étions dans cette cité antique, berceau de la démocratie, de la philosophie et d'Aristote, à nous planquer derrière des rideaux. Mais Nasrine a affirmé qu'on ferait mieux de ne pas sortir. Il y avait eu des attaques contre des réfugiés perpétrées par des membres d'un parti appelé Aube dorée, nom plutôt inoffensif pour des gens d'extrême droite qui ont une espèce de croix gammée sur leur drapeau.

On n'arrêtait pas d'entendre des sirènes. Athènes donnait l'impression d'être riche avec ses cafés et ses bars branchés, mais nous avions remarqué beaucoup de sans-abri. La crise de la dette avait mis la moitié de la jeunesse au chômage et ceux qui le pouvaient quittaient le pays. La Grèce était en si piteux état qu'elle avait dû être renflouée deux fois par les institutions internationales et que les Allemands venaient de lui imposer un troisième sauvetage à des conditions sévères. Les banques étaient fermées. Il y avait chaque jour des manifestations place Syntagma devant le Parlement où la police lançait des gaz lacrymogènes pour disperser la foule. Je suivais tout ça entre mes vieux programmes préférés. J'essayais de surmonter mon aversion des informations à la télé, car nous avions besoin de savoir ce qui se passait sur la route des migrants.

Shiar et Nasrine ne m'ont sortie qu'une seule fois. Bien entendu, ils ne m'ont pas amenée au Parthénon, mais dans un restaurant turc pour manger un kebab. La ville m'est apparue antique et davantage orientale qu'occidentale. Nous avons vu beaucoup d'hommes âgés qui jouaient aux dés. Sur le menu, l'alphabet grec m'a semblé étrange, comme de l'hébreu. Quand nous sommes sortis du restaurant, il faisait nuit, mais il y avait des gens partout. C'était la première fois que je voyais une ville si vivante la nuit, ça m'a rappelé Alep. J'ai essayé de ne pas penser à ce qui devait se passer là-bas. Je savais que Nasrine regardait sur Facebook.

* *
*

Chaque jour, pendant que Shiar se rendait place Victoria pour négocier avec des passeurs, Nasrine et moi étudiions sur nos téléphones des cartes d'Europe et des groupes Facebook pour les migrants — tels que « *The Safe and Free Route to Asylum for Syrians* » — qui donnaient des conseils sur ce dont les réfugiés avaient besoin, ainsi que sur les meilleurs itinéraires. Entre les deux, je continuais à regarder fixement l'ange et à prier : « S'il vous plaît, s'il vous plaît, permettez-moi d'entreprendre ce voyage normalement. »

Parfois Dieu répond aux prières. Au bout de quelques jours, Shiar nous a annoncé que l'obtention de faux passeports se révélait difficile et coûteuse et qu'il ne savait pas quoi faire.

Nasrine et moi avons échangé un regard.

— Tu sais quoi ? Et si on y allait par la route ? a-t-elle suggéré.

Hourrah ! De la prison à la liberté totale. Je savais que l'expérience de toute une vie m'attendait. J'ai pensé que j'aurais quelque chose à raconter à mes petits-enfants, comme quand mes parents parlaient de 1973, lorsque nous avions eu la guerre contre Israël — ils disaient toujours que c'était une année dure, l'année de la guerre. Ce serait dur pour Nasrine, qui devait me pousser, mais on allait bien s'amuser.

Et pour une fois j'allais être comme tout le monde.

Nous avons pris le train de 16 h 30 à la gare centrale pour Thessalonique, un voyage de six heures. C'était ma première fois à bord d'un train. Même si la plupart des réfugiés se rendent à la frontière en bus parce que c'est moins cher, le quai était bondé d'autres migrants, pour beaucoup accompagnés d'enfants en bas âge ; sans oublier un grand nombre de touristes en shorts et T-shirts avec de gros sacs à dos. Le train est arrivé, il était recouvert de graffitis. Tout le monde s'est précipité et je me suis demandé comment on allait réussir à monter à bord, mais quelqu'un nous a aidées et on a trouvé des places. Tous les sièges étaient usés. Une personne nous a raconté que la société de chemin de fer grecque perdait tellement d'argent que, si elle donnait à tous ses passagers le prix de la course en taxi au lieu de faire circuler le train, ça lui coûterait moins cher. J'ai regardé défiler le paysage — des champs brûlés par le soleil, des montagnes vertes, des hirondelles noires qui découpaient le ciel, le soleil rougeoyant —, j'étais subjuguée. Le train allait si vite par rapport à l'extérieur que ça m'a fait penser à la théorie de la relativité. « Que se passerait-il si le train allait à la vitesse de la lumière ? ai-je demandé à Nasrine. On verrait quoi ? » Elle m'a répondu que, à cause de ce qu'on appelait la dilatation temporelle, le temps se figerait et qu'on avancerait vers notre destination sans être témoins du temps qui passe pour tout ce qui ne bouge pas avec nous. Ainsi, le soleil qu'on apercevait en passant à toute allure serait tout le temps rouge comme au crépuscule. Je ne comprenais pas vraiment ses explications, mais je ferais mes recherches plus tard. Puis elle a conclu qu'il était de toute façon impossible d'avancer à la vitesse de la lumière. En d'autres termes elle voulait que je la boucle.

Elle est allée nous chercher des boissons, et mon imagination s'est mise à galoper toute seule comme elle le fait toujours si je ne la retiens pas. Je n'arrêtais pas de penser au moment dans les films où le train tombe dans un précipice. Si ça arrivait et que je perdais Nasrine, comment ferais-je pour atteindre la frontière toute seule ?

Heureusement, ça n'est pas arrivé. La nuit s'est mise à tomber et nous avons essayé de trouver le sommeil. La rumeur a couru que la police grecque expulsait les réfugiés parce que nos papiers ne nous autorisaient pas à voyager aussi loin au nord. Certains se sont enfermés dans les toilettes, mais la police n'est pas passée. Nous sommes enfin arrivées à notre arrêt : Thessalonique. Les bus qui ralliaient la frontière s'étaient arrêtés pour la nuit, et les gens ont commencé à négocier avec les chauffeurs de taxi à l'extérieur. « Nous ne sommes pas des touristes », s'est plaint un homme à qui on annonçait des prix prohibitifs. Certains ont décidé de passer la nuit à la gare et de prendre le bus le lendemain, mais, comme on voulait avancer, on a déboursé les 100 euros pour le taxi.

Les groupes Facebook nous avaient appris qu'on ne pouvait pas franchir la frontière de nuit. Le chauffeur nous a donc conduites sur 90 kilomètres jusqu'à une ville proche de la frontière : Evzoni. Là, nous sommes allées au Hara Hotel — le dernier hôtel en Grèce. Ou le premier, selon votre provenance. Sur le parking, un panneau représentant un Grec en bas de laine blanche affublé d'un fez rouge annonçait « *Welcome to Greece* ».

L'hôtel était une espèce de bâtiment décrépit à côté de la sortie d'autoroute, qui s'apprêtait à mettre la clé sous la porte lorsque la crise des réfugiés l'avait sauvé. A présent, les gens allaient et venaient non-stop. Certains, comme nous, pour y séjourner, mais l'hôtel avait également transformé son bar en supérette qui vendait aux réfugiés des conserves de sardines, des biscuits, mais aussi des couches et des lingettes pour bébé. Comme nous étions affamées nous sommes entrées dans le restaurant. La salle était éclairée au néon comme dans les hôpitaux que j'avais fréquentés et tout avait l'air jaune. Nous avons commandé une pizza et, pour la toute première fois, j'ai utilisé un couteau et une fourchette. C'était très délicat, car c'est considéré *haram* pour nous les musulmans de manger avec la main gauche, et j'essayais donc de manier à la fois le couteau et la fourchette de la main droite.

Au loin, on apercevait les lumières des casinos en Macédoine où les Grecs vont jouer de l'argent le soir, même s'ils n'aiment pas trop la Macédoine et considèrent qu'elle devrait leur appartenir. C'est pour cette raison qu'ils affirment qu'Alexandre le Grand est grec, alors qu'en réalité il est macédonien. D'ailleurs ils ne disent même pas Macédoine mais ARYM, pour Ancienne République yougoslave de Macédoine. Malgré tout, ils pouvaient franchir la frontière normalement. On a dû passer à travers champs.

Le lendemain matin, un message WhatsApp de Nahda nous attendait sur le téléphone de Nasrine. Il annonçait « J'ai réussi ! » Ils étaient déjà en Allemagne, après un voyage de tout juste cinq jours. « Tu vois, ça ne doit pas être si dur que ça ? » ai-je dit à Nasrine.

Avant de nous mettre en route, j'avais un problème de logistique à régler. Un élastique maintenait le repose-pieds de mon fauteuil roulant mais, en descendant la rampe du ferry, il avait claqué et le repose-pieds s'était cassé. Du coup, j'avais les pieds qui pendaient dans le vide, ce qui était très inconfortable. Heureusement, un gentil monsieur avec un chapeau noir et un oiseau domestique a bricolé du fil de fer pour que je puisse poser mes pieds.

Nasrine me poussait sur la route principale. Le soleil était en train de se lever et le paysage était très vert avec des collines boisées tout autour. Je n'avais encore jamais entendu un tel bavardage d'oiseaux malgré le froid glacial. Depuis mes crises d'asthme, je suis sensible au froid et je suis la première à tomber malade. Nasrine dit que je suis un aimant à virus. Nous n'étions pas sûres d'avancer dans la bonne direction, mais nous avons fini par tomber sur une voie ferroviaire désaffectée, comme avait décrit Nahda, où une foule de gens attendait, retenue par la police habillée en noir comme des ninjas. D'autres policiers surveillaient attentivement dans des fourgons depuis une crête qui surplombait les rails.

La petite ville d'Evzoni était désormais remplie de milliers de réfugiés comme nous. Un centre de transit temporaire avait été installé et des femmes grecques distribuaient des couches et des biscuits. Des policiers macédoniens armés de pistolets et de matraques nous ont rassemblés en groupes de cinquante personnes pour traverser. Nous avons été mises dans un des trois groupes intitulés « SIA » — Syriens, Irakiens et Afghans — qui avaient le droit de traverser. Les Bangladais, Marocains et autres devaient emprunter une voie illégale. On a dû avancer sur 800 mètres mais le chemin était en bon état, même si nous étions plus lentes que tout le monde. La police grecque nous a même aidées à passer mon fauteuil par-dessus les rails. Rien, si ce n'est les lignes noires sur le GPS de notre téléphone, ne signifiait la frontière. Plus tard, nous avons entendu dire qu'ils avaient installé un point frontalier de fortune baptisé « Borne 59 ».

Une fois en Macédoine, les chemins étaient rocailleux et plus difficiles. Le fauteuil roulant n'arrêtait pas de se coincer dans les pierres. Heureusement, des Macédoniens qui vendaient des biscuits, voyant notre détresse, nous ont aidées. Ils ont fait pivoter mon fauteuil et l'ont tiré en arrière.

Tout un flot de personnes avançait dans la même direction. Certaines portaient des bébés dans le dos ou dans les bras — comme Nahda avait dû le faire quelques jours plus tôt. Un homme boitait, peut-être après avoir été blessé dans un bombardement. Personne ne parlait vraiment. Tout le monde avait l'air désespéré. J'étais la seule à sourire. Les gens se dépêchaient parce que nous avions tous entendu dire que les Hongrois commençaient à clôturer leur frontière : il fallait faire vite.

Nous avons enfin atteint un magnifique champ de tournesols, exactement comme le décrivait Facebook, traversé en son milieu par un sentier battu. De chaque côté gisaient des monceaux de bouteilles d'eau, sacs plastiques, chaussures, sacs de couchage et autres déchets abandonnés par les migrants, ce qui m'attristait un peu parce qu'on ne voulait pas que les gens nous détestent, mais il n'y avait aucun endroit pour jeter les ordures.

Tout se passait très bien lorsque nous sommes soudain arrivées devant un fossé profond et un ruisseau infranchissables. Heureusement, des Afghans nous ont aidées à traverser. C'est là que j'ai arrêté de sourire : les secousses me faisaient vraiment mal au dos, qui tapait contre le dossier du fauteuil. J'ai poussé des petits gémissements, et Nasrine m'a houspillée pour que j'arrête. Quand on me porte je me sens faible et je déteste ça. Bien vite ils m'ont reposée. Une pluie d'été s'est mise à tomber ; les grenouilles ont coassé comme si elles étaient heureuses ; les cloches de l'église ont sonné. Au bout d'environ une heure à travers champs, nous sommes arrivées au premier village macédonien, Gevgelija. Je me suis demandé comment ça pouvait bien se prononcer. Nous avons suivi un panneau indiquant « Emplacement humanitaire du gouvernement de Macédoine avec le soutien du HCR » jusqu'à une zone pleine de tentes et caravanes blanches et d'une rangée de toilettes mobiles qui sentaient mauvais. HCR signifie Haut-Commissariat des Nations unies pour les réfugiés. Une foule de gens agglutinés attendait. De temps à autre, un homme sortait avec une liasse de papiers et appelait des noms.

Lorsque les réfugiés ont commencé à déferler sur la Macédoine, ils n'avaient pas le droit d'emprunter les transports en commun. Ils devaient donc attraper des trains de marchandises ou suivre des passeurs, mais certains s'étaient fait agresser par des gangs, ce qui ne donnait pas une bonne image de la Macédoine. En conséquence, à la fin du mois de juin, le Parlement avait voté pour délivrer aux réfugiés SIA des visas de trois jours leur permettant de traverser le pays en toute légalité et de prendre un train tout du long jusqu'à la frontière serbe.

Le poste de police où nous devions retirer ces papiers n'avait pas l'air de s'en sortir. J'imagine que l'endroit avait dû être très calme jusqu'ici. Si nous étions arrivées deux jours plus tard, nous nous serions retrouvées complètement coincées : à cause de cet embouteillage, les Macédoniens ont fini par bloquer la frontière et tirer des balles et des gaz lacrymogènes sur les réfugiés pour les empêcher d'approcher. Nous étions passées juste à temps.

En plus, grâce à mon fauteuil roulant, on nous a emmenées en tête de file. Nous avions un peu peur d'ouvrir la marche seules, car on nous avait mises en garde contre les bandits dans les bois. Je me disais que la Macédoine était le pays d'Alexandre le Grand et de Gengis Khan (je confondais avec la Mongolie). D'autres personnes pensent qu'Alexandre est un héros, mais à mon avis c'était un dictateur qui a tué des tas de gens. Certains réfugiés appelaient le pays « Mafiadonia » et disaient que par sécurité il valait mieux voyager en groupes, et certainement pas deux sœurs toutes seules.

D'autres étaient entassés dans des vieux trains couverts de graffitis. Monter à bord avec le fauteuil roulant était inenvisageable. Les policiers macédoniens nous ont rassurées : après nous avoir enregistrées, ils ont appelé un taxi pour nous amener à la frontière de la Serbie, moyennant 200 euros, puis nous ont laissées franchir le portail du centre de transit. Pour moi, c'était la Belle Porte. Nous étions sur la bonne voie.

14
Hongrie, ouvre ta porte !

Macédoine-Serbie-Hongrie, 15-16 septembre 2015

La Macédoine n'était pas un grand pays — nous l'avons traversé dans son intégralité du sud au nord en à peine deux heures. Ce qui était aussi bien, parce que tout le monde disait que les Hongrois avaient terminé de construire une énorme clôture le long de leur frontière et qu'à minuit ils allaient pénaliser toute traversée et fermer l'ouverture par laquelle ils avaient laissé passer les gens. C'était une course contre la montre, comme dans certaines séries que je regardais à la télé.

Tout d'abord, il fallait passer de la Macédoine à la Serbie. Le taxi nous a conduites pendant environ 200 kilomètres à la ville frontière de Lojane dans les montagnes du nord de la Macédoine. Le chauffeur nous a expliqué que les collines étaient truffées d'anciens itinéraires de contrebande de cigarettes, drogues et armes, que les réfugiés empruntaient à présent.

Lojane était un village de maisons aux tuiles rouges avec deux salons de thé et une grande mosquée blanche. Les habitants étaient essentiellement des Albanais qui, par le passé, avaient eux-mêmes fui la guerre dans leur propre pays. Ce qui ne voulait pas dire qu'ils appréciaient les migrants. Certains étaient contents, sachant qu'on apportait de l'argent — ils nous faisaient toujours payer des prix excessifs pour la nourriture et les boissons —, mais d'autres se plaignaient que nous apportions délinquance et maladies infectieuses et que nous faisions peur aux femmes et aux enfants.

De nombreux autres réfugiés arrivaient — certains comme nous en taxi, et d'autres en train. Un camp avait été installé dans un pré, et baptisé « la jungle » (tous les camps de migrants ont l'air de porter le même nom), mais personne ne s'arrêtait, même si pour beaucoup la fatigue se lisait sur les visages. Nous avons rejoint une véritable autoroute humaine qui avançait vers la frontière.

L'itinéraire passait au milieu de plantations de choux, ce qui n'était pas très pratique étant donné qu'il avait plu la nuit précédente et que le sol était boueux. Dans le champ voisin, un homme faisait des allers et retours sur un tracteur, une cigarette pendue aux lèvres, et quelque part un coq chantait. Nasrine peinait à faire avancer le fauteuil roulant dans la boue, mais des travailleurs humanitaires suisses et néerlandais qui distribuaient des barres énergétiques et des bouteilles d'eau, voyant notre infortune, ont envoyé quatre réfugiés afghans pour me porter dans mon fauteuil.

— Bienvenue en Serbie, a dit un des travailleurs humanitaires tandis que les hommes me reposaient par terre.

— C'est ici le pays du célèbre joueur de tennis Novak Djokovic, ai-je répliqué.

Nasrine n'a rien dit. J'ai pensé au jeune Gavrilo Princip, dont le coup de feu avait déclenché la Première Guerre mondiale, et à Radovan Karadžić, le chef des Serbes de

Bosnie responsable du massacre de milliers de musulmans dans les années 1990 — et puis je m'en suis voulue parce qu'une fois encore je me souvenais toujours des méchants ! Je ne savais rien d'autre sur la Serbie.

Il nous a fallu environ une demi-heure pour traverser la frontière à pied jusqu'à Miratovac, qui est le point d'entrée officiel. Les fonctionnaires serbes ont vérifié nos papiers pour le trajet effectué de la Grèce à la Macédoine. À présent il fallait un document serbe, ce qui a pris beaucoup de temps. Nasrine n'arrêtait pas de consulter sa montre. Je savais qu'elle essayait de calculer si on pouvait atteindre la Hongrie avant la tombée de la nuit.

Quand toute cette crise avait éclaté, la Serbie avait tenté de repousser les réfugiés vers la Macédoine mais, au moment de notre passage, environ quatre mille personnes franchissaient chaque jour la frontière et les autorités avaient décidé qu'il était plus simple de nous aider à poursuivre notre chemin. Elles avaient même mis en place des bus à bas prix pour la capitale, Belgrade, ce qui nous épargnait d'avoir affaire aux passeurs. Nous avons suivi tous les autres le long d'un raidillon poussiéreux où des bénévoles distribuaient de l'eau et des sandwichs végétaliens.

Il était environ 13 heures lorsque nous avons pris un bus. Nous avons payé 35 euros, ce qui était bien moins cher qu'un taxi, mais il était bondé d'immigrés — des Syriens comme nous, ainsi que des Irakiens, des Afghans et des Erythréens. L'avantage handicap m'a valu d'être assise à l'avant.

J'ai regardé par la fenêtre. Un autre pays, une autre langue, une autre culture, dont nous ne pourrions rien apprendre. Le trajet a été long, près de six heures. J'avais des douleurs aiguës dans les épaules et les bras, et j'ai commencé à avoir peur de faire un arrêt cardiaque, car j'avais vu dans *Dr Oz* que c'en étaient les symptômes. J'ai donné un coup de coude à Nasrine pour la réveiller. Elle s'est énervée : « Tu es épuisée, c'est tout. On ne fait pas d'arrêt cardiaque à seize ans ! »

J'ai posé la tête sur la tablette devant ma place pour essayer de dormir, en vain. Puis j'ai essayé de m'appuyer contre Nasrine, mais ça n'a pas marché non plus. « Laisse-moi tranquille », a-t-elle marmonné.

Belgrade est une grande ville sur les bords du Danube, et j'avais hâte de la voir. Nous y sommes arrivées vers 19 heures, au moment où les gens normaux se retrouvaient au café et dans les bars pour se détendre après une journée de travail. Ils avaient l'air un peu dur, peut-être parce que eux aussi avaient eu leur propre guerre civile dans les années 1990. Peut-être qu'un jour la vie reviendra à un semblant de normalité en Syrie.

Prochain arrêt : la Hongrie, et de retour dans l'UE si nous arrivions à passer dans les temps. Nasrine me répète constamment de ne pas m'inquiéter — qu'elle réglera toujours tout. Alors j'ai essayé de ne pas penser à ce qu'il adviendrait si on ne pouvait pas passer.

Une fois encore, nous avons suivi tout le monde pour sortir. Il y avait tellement de gens sur la route des migrants que nous n'avions pas vraiment besoin des groupes Facebook. A côté de la gare routière, le parking ressemblait à un campement, rempli de gens et de tentes au milieu des cordes à linge. Comme sur la place Basmane, les réfugiés tenaient des conciliabules avec les passeurs dans des ruelles, et de temps à autre des voitures et des camionnettes s'arrêtaient pour emporter des groupes vers la frontière hongroise.

Nous avions essayé d'économiser notre argent pour éviter à Mustafa et à Farhad d'en envoyer constamment, et nous avions l'intention de prendre le train. Contrairement à certains réfugiés qui payaient les passeurs pour l'intégralité du voyage, nous étions des migrants sans abonnement. Mais Nasrine s'inquiétait de l'heure et nous avons trouvé un taxi qui affirmait pouvoir nous amener à la frontière pour 210 euros. Nasrine a appuyé sa tête contre la vitre comme si elle dormait, mais le chauffeur parlait un peu anglais alors je lui ai dit : « J'aime bien Novak. » Il m'a répondu que Djokovic était propriétaire d'un restaurant pas très loin de là. J'aurais adoré y aller. Parfois j'aurais bien aimé que nous ne soyons pas si pressées de faire ce voyage.

Il était environ 22 heures lorsqu'il nous a déposées dans un village agricole du nom de Horgoš, par lequel Bland était passé plus tôt dans l'année. J'étais heureuse d'avoir traversé deux pays européens en une journée mais, en définitive, nous n'avions pas été assez rapides. Tout le monde disait que la frontière était fermée : nous arrivions trop tard.

Comme nous ne pouvions rien faire, nous avons cherché un endroit où dormir. Beaucoup de gens s'étaient regroupés dans des champs, mais nous ne voulions pas faire ça. Vers minuit nous avons trouvé une grande tente arborant le sigle HCR. De nombreux réfugiés dormaient à l'intérieur et nous nous sommes allongées nous aussi. Il faisait très froid, nous n'avions pas de couvertures, et j'étais intimidée par la présence de nombreux étrangers, alors je n'ai pas vraiment trouvé le sommeil.

Quand j'ai émergé à 8 heures, tout le monde parlait de la marche à suivre. Pour le petit déjeuner, quelqu'un m'a donné une pomme. Des femmes affirmaient que malgré la fermeture de la frontière la police hongroise avait laissé passer un certain nombre de personnes. Après avoir fait tout le voyage jusqu'ici, nous avons songé qu'il fallait au moins tenter le coup.

Il était censé y avoir un bus pour Röszke, à quelques kilomètres de l'endroit où se trouvait le passage de frontière. Nous avons attendu une éternité. Nous étions sur le point de jeter l'éponge et de prendre un taxi lorsque le bus est arrivé. Il y avait environ 800 mètres entre l'endroit où le bus nous avait déposées et le passage le long de la voie ferrée, et le trajet m'a secouée dans mon fauteuil. En suivant tout le monde — de jeunes hommes, des femmes enceintes, des hommes portant des enfants sur leur dos — nous avons aperçu la haute clôture qui venait d'être achevée avec des rouleaux de fils de fer hérissés de lames de rasoir. Puis nous avons entendu un grand brouhaha. L'ouverture par laquelle les réfugiés étaient passés jusqu'alors était fermée, et les gens protestaient.

Une fois sur place, nous avons vu la foule de gens qui se massaient contre la clôture et la police anti-émeute de l'autre côté. Pour la première fois je me suis rendu compte que nous étions au milieu d'une grande tragédie. Jusqu'à cet instant, j'avais considéré ce voyage comme une aventure. A présent je voyais bien toute cette douleur. « Nous fuyons la guerre ! » a crié quelqu'un. Se faire refouler après tout ce que nous avions enduré semblait inimaginable.

On pourrait penser qu'un pays comme la Hongrie, qui a été coupé de l'Europe occidentale derrière le rideau de fer jusqu'il y a vingt-cinq ans, serait le dernier à construire une clôture.

Mais contrairement à l'accueil chaleureux que nous avions reçu en Serbie, le Premier ministre hongrois du parti de droite Viktor Orbán semblait véritablement détester les migrants. Il n'arrêtait pas de se plaindre que l'émigration alimentait le terrorisme et il avait lancé une campagne d'affichage mettant les réfugiés en garde : « Si vous venez en Hongrie, ne prenez pas le travail des Hongrois » et « Si vous venez en Hongrie, respectez nos lois. » Orbán affirmait que la Hongrie se contentait tout simplement d'appliquer les règles européennes en matière de droit d'asile en empêchant les réfugiés de continuer leur route. Pour ce faire, il avait érigé sur l'intégralité des 180 kilomètres de frontière avec la Serbie une clôture de 3,50 m de hauteur, hérissée de lames de rasoir, utilisant des prisonniers comme main-d'œuvre.

Jusqu'à la nuit de notre arrivée, les Hongrois avaient autorisé les gens à passer par une ouverture située à proximité de la ligne de chemin de fer désaffectée, mais ils venaient de la fermer. Nous n'avions pas de chance. Jusqu'alors, environ cent quatre-vingt mille réfugiés étaient passés par la Hongrie, exactement comme nous avions eu l'intention de le faire, se dirigeant depuis la frontière en train ou en voiture jusqu'à la gare de Budapest-Keleti, et de là en voiture ou en train jusqu'à l'Autriche. Quantité de passeurs étaient heureux de pouvoir se rendre utiles.

Environ dix jours avant notre arrivée, Orbán a même publié un article de presse disant que les migrants menaçaient l'identité chrétienne de l'Europe. « Ceux qui arrivent ont été élevés dans une autre religion et sont les représentants d'une culture profondément différente. Dans leur majorité, ce ne sont pas des chrétiens mais des musulmans. C'est une question importante, car l'Europe et l'identité européenne ont des racines chrétiennes. N'est-ce pas déjà en soi préoccupant que la culture chrétienne de l'Europe ne soit quasiment plus en capacité de maintenir l'Europe dans le système de valeurs chrétiennes ? Il n'y a pas d'alternative, et nous n'avons d'autre choix que de défendre nos frontières. »[5]

Et cela ne se résumait pas au gouvernement. Une cameraman hongroise avait été filmée en train de faire des croche-pieds à des réfugiés.

A mon grand agacement, Nasrine avait dit à quelqu'un que je parlais anglais et suggéré qu'on pouvait utiliser le fait que j'étais en fauteuil roulant pour faire rouvrir le passage. De sorte que je me suis retrouvée poussée tout à l'avant, face à la barrière et aux policiers avec leurs casques et boucliers anti-émeute. Derrière moi des gens criaient « Allemagne ! Allemagne ! », s'emportaient contre la Hongrie et exigeaient la réouverture de la frontière. Certains brandissaient des pancartes « Europe Honte ». D'autres criaient « Merci la Serbie ! » Le bruit était insupportable, je me suis bouché les oreilles.

Puis la télé hongroise m'a collé une caméra en plein visage.

— Si Angela Merkel était ici, qu'auriez-vous à lui dire ? m'a-t-on demandé.

— Aidez-nous.

Je n'avais pas envie d'en dire plus. Je détestais qu'on se serve de mon fauteuil roulant pour inspirer de la pitié aux soldats hongrois. Je détestais le fait que la police portait des masques de protection médicale comme si nous avions des maladies contagieuses.

Il y avait d'épais fils barbelés, et une petite fille aux cheveux blonds, droite comme une statue, essayait d'une

main d'ouvrir le passage. « Hongrie, ouvre ta porte !
Hongrie, ouvre ta porte ! » criait-elle. Ça m'a fendu le cœur.
— Je veux m'en aller d'ici, ai-je dit à Nasrine.

La situation a empiré à mesure que la journée avançait.
Nasrine m'a poussée pour rejoindre la route des réfugiés
et des déchets abandonnés jusqu'à la voie principale, qui
était bordée de tentes, et nous avons vu arriver une colonne
de véhicules blindés du côté hongrois. Des centaines de
policiers anti-émeute supplémentaires en sont sortis et
ont commencé à tirer avec des canons à eau et des gaz
lacrymogènes sur les gens qui manifestaient à la frontière.
« La Hongrie est un pays doté d'une culture chrétienne
millénaire », avait dit Orbán à la police avant de les envoyer.
« Nous, les Hongrois, ne voulons pas que la circulation
globalisée des personnes ne change la Hongrie. »

Après coup, la police a affirmé que des migrants
« agressifs » avaient traversé la clôture « armés de tuyaux
et de bâtons », mais nous n'avons rien vu de la sorte,
seulement des gens qui jetaient des bouteilles en plastique.

Je n'arrivais pas à croire qu'il s'agissait de l'Europe dont
nous avions rêvé.

Les gens disaient que même une fois la frontière passée,
de l'autre côté il n'y avait aucun endroit pour loger hormis
un champ boueux sans commodités. De temps en temps
des bus arrivaient et la police faisait monter des gens pour
les emporter vers des camps d'enregistrement. Seuls les
plus désespérés partaient, car tout le monde avait peur
de rester bloqué là-bas ou d'être renvoyé, et des histoires
horribles circulaient sur les conditions sur place — les
camps étaient immondes, pleins de cafards, les gardes
frappaient les gens ou les forçaient à prendre des calmants

pour les faire taire. Sur Facebook on pouvait voir des vidéos filmées à l'insu des gardes, qui traitaient les gens comme des animaux et leur jetaient de la nourriture. C'est drôle, parce que en réalité ça coûte de l'argent d'être réfugié. Parmi nous se trouvaient des avocats, des docteurs, des professeurs, des hommes d'affaires. Nous étions des êtres humains, avant nous avions un foyer.

Apparemment, de nombreuses personnes étaient également coincées à la gare de Keleti : elles campaient devant, alors que la police hongroise refusait de les laisser monter à bord des trains. Pendant un moment, la gare a même été entièrement fermée. Certaines personnes avaient été mises dans un train, on leur avait dit qu'elles allaient en Autriche, sauf que les wagons s'étaient arrêtés avant la frontière et qu'on les avait toutes emmenées dans un camp. A présent les gens marchaient.

Tout le monde dénonçait la Hongrie. Le chancelier autrichien Werner Faymann comparait même ce que la Hongrie faisait à la déportation des Juifs dans les camps de concentration par les nazis : « Entasser des réfugiés dans des trains et les envoyer dans un endroit complètement différent du lieu où ils pensent se rendre nous rappelle le chapitre le plus sombre de l'histoire de notre continent. »[6]

Le tableau était incroyable. Voici un pays dont environ deux cent mille personnes avaient fui en 1956, après leur propre révolution manquée que les tanks soviétiques avaient écrasée. Certains avaient traversé la frontière sur laquelle nous nous tenions pour se rendre dans ce qui était alors la Yougoslavie, la plupart étaient partis au Nord, en Autriche, et ils avaient été bien accueillis par leurs voisins. J'avais bien entendu vu un documentaire à ce propos qui montrait toutes les lettres de remerciement que les

Hongrois avaient rédigées à l'attention des Autrichiens, relatant à quel point ils avaient été bien traités.

Nasrine me faisait faire des allers et retours sur la route, mais nous ne savions vraiment pas quoi faire. On était visiblement bloquées du mauvais côté de la frontière. On s'est demandé s'il fallait chercher des passeurs. Une fois en face, l'objectif était de nous rendre à une station-service au bord de l'autoroute, où les passeurs trouvent des soi-disant taxis pour Budapest. On voyait rôder des voitures et des camionnettes.

Je crois que la population locale était désolée pour nous. Des bénévoles distribuaient toutes sortes d'aliments. J'ai vu une petite fille dévorer une boîte de maïs. Je n'ai rien pris parce que je mourais d'envie de faire pipi. Ce n'était pas facile de trouver un endroit praticable pour moi, alors je faisais très attention à ne pas trop boire pour ne pas poser de problème. Heureusement, j'arrive bien à contrôler ma vessie.

J'ai essayé de me concentrer sur d'autres choses. Une femme assise au bord de la route pleurait en donnant le sein à son bébé habillé d'une grenouillère lilas décorée de petits nuages blancs. Il était si petit qu'elle avait dû accoucher en route. Quelqu'un a dit qu'elle avait perdu un autre enfant dans le train venant de Macédoine. Je savais que de nombreuses familles se retrouvaient séparées, mais je ne voulais pas l'entendre sans quoi mon moral allait sombrer plus bas encore.

C'est alors qu'un photographe a braqué son appareil sur elle. Elle a tiré son voile sur son visage. Il y avait beaucoup de journalistes sur les lieux, qui avaient garé leurs camions satellite et leurs grosses voitures le long de la route. Je sais qu'ils essayaient de faire leur travail pour informer le monde sur ce qui se passait, mais je pense qu'ils ignorent que notre culture est différente. Et que ça peut être dangereux. Parmi les jeunes hommes qui avaient fui la conscription, certains avaient encore de la famille en Syrie, et ne souhaitaient donc pas que leur identité soit révélée.

J'ai remarqué que les journalistes portaient une sorte d'uniforme : chemise à col boutonné, jean et chaussures de marche. Je portais encore le même jean et mon chemisier préféré en denim bleu brodé aux épaules que j'avais depuis Gaziantep et je ne m'étais pas changée depuis que nous avions quitté Athènes. J'ai aussi remarqué qu'ils interviewaient tous la même personne, comme des vautours se partageant une proie.

— Hé, il y a une jeune Syrienne en chaise roulante qui parle anglais ! s'est écrié quelqu'un.

Subitement, ils ont tous fondu sur moi. Parmi eux, une dame américaine de la chaîne ABC qui voulait savoir comment j'avais appris l'anglais. En regardant *Des jours et des vies*, ai-je expliqué. Elle était stupéfaite.

— C'est un super feuilleton, ai-je précisé. Mais ils ont tué le personnage principal que j'aimais !

Un autre journaliste était un gentil monsieur de la BBC du nom de Fergal Keane que Nasrine avait rencontré sur le pont supérieur du ferry à Athènes lorsqu'elle était montée pour voir le lever du soleil. Il avait une jolie voix, comme du miel qu'on étale sur du pain. Je lui ai dit que je voulais être astronaute, voyager dans l'espace, trouver des extraterrestres, et aussi aller à Londres pour rencontrer la reine, et ça l'a beaucoup fait rire.

A ce stade, nous avions perdu tout espoir que la Hongrie rouvre ses portes et quelqu'un a dit que le président croate avait prononcé un discours de bienvenue pour les réfugiés. On pouvait donc essayer d'aller en Croatie et de là traverser la Slovénie. Il y avait certains pays dont on n'avait jamais entendu parler. Quand quelqu'un a dit que les gens traversaient de la Croatie à la Slovénie, un homme a riposté : « C'est pas possible — la Slovénie, c'est en Asie ! »

Nasrine m'a poussée à travers des champs de tournesols morts, et nous avons pris un taxi pour retourner sur nos pas de la nuit précédente, puis prendre à l'ouest en direction de la Croatie. On se serait crues dans un de ces jeux vidéo où les routes sont sans cesse bloquées, vous contraignant à trouver un autre itinéraire.

15

Le jour le plus dur

Croatie-Slovénie, 16–20 septembre 2015

De toute ma vie, je n'avais jamais été la première en quoi que ce soit. Jusqu'à ce que nous arrivions en Slovénie. Et à ce moment-là, évidemment, ce n'était pas le moment.

Depuis la frontière serbo-hongroise, nous avons accepté de payer 125 euros à un taxi pour retraverser la Serbie du nord au sud puis à l'ouest jusqu'à la frontière avec la Croatie, soit un trajet d'environ une heure et demie. La majeure partie de cette frontière longe le Danube, mais il y avait eu une zone de passage à Apatin sur la rive occidentale du fleuve où nous avons traversé un champ de maïs pour entrer en Croatie. J'étais ravie de voir un nouveau pays — même si je culpabilisais parce que cela voulait dire plus de marche et de fauteuil roulant à pousser pour Nasrine — et j'étais contente de voir les panneaux bleus avec l'anneau d'étoiles jaunes qui signifiaient qu'on était de nouveau dans l'UE — donc, fini les frontières !

Comme nous avions l'air d'être remises dans l'axe, j'ai essayé de bavarder avec Nasrine de mon avenir en Europe. J'irais peut-être à l'école, voire à l'université, et elle pourrait m'aider en physique. Parfois elle aime me parler. Elle dit que je suis une bonne oreille, qu'elle peut me dire des choses qu'elle ne dit à personne d'autre, et que je suis de bon conseil. Mais je voyais bien qu'elle était épuisée et qu'elle n'avait pas envie de parler — avec elle, je sais toujours quand je dois me taire.

Une fois passée la frontière croate, la police nous a fait monter dans un de ces fourgons fermés pour le transport des prisonniers et nous a conduites à un village voisin. Là, on nous a mises dans un bus avec d'autres réfugiés. Personne n'avait la moindre idée de notre destination. On a entendu dire qu'ils allaient prendre nos empreintes, ce qui aurait été une catastrophe car cela nous aurait obligées à rester en Croatie. L'inquiétude était générale.

Le trajet a duré environ cinq heures, dans le noir, et s'est terminé à la capitale, Zagreb. On nous a amenés dans un bâtiment qui ressemblait à un ancien hôpital. Là, on nous a donné à chacun un numéro inscrit sur un morceau de papier et on nous a photographiés en train de le tenir devant nous, comme des criminels. Nasrine avait le numéro 80, j'avais le 81. La bonne nouvelle, c'est qu'il y avait une douche et qu'on a pu se laver et se changer. Nasrine a nettoyé les vêtements que nous portions depuis la Grèce et les a étendus pour qu'ils sèchent. Une fois ces tâches terminées, il était environ 3 heures du matin et nous sommes enfin allées dormir.

Le lendemain régnait une grande confusion, certains disaient qu'on allait relever nos empreintes digitales. Mais ça n'est pas arrivé. Puis vers midi on a soudain été libérés. Plus tard, on a entendu dire qu'on avait pris les empreintes de tous les réfugiés du bus qui nous suivait, donc on a eu de la chance.

*
* *

Nous nous sommes dirigées vers le centre-ville en clignant des yeux, comme des taupes éblouies par le soleil. Avec ses grands bâtiments datant de l'empire des Habsbourg, Zagreb est une ville magnifique. Même la gare ressemble à un palais, avec sa majestueuse façade à colonnades et son immense statue de Tomislav Ier, qui a été le premier roi de Croatie il y a plus d'un siècle, et avait l'air un peu grognon. Il n'y avait pas de train pour la Slovénie avant 16 heures, ce qui nous laissait donc trois heures à tuer. Nous allions enfin avoir l'occasion de voir une des villes que nous traversions.

C'est alors que nous avons vu l'enseigne rouge et l'arche dorée — mon tout premier McDonald's. J'avais une faim de loup et j'ai sorti à Nasrine ma plus belle tête de chien battu. Je savais qu'elle avait peur d'aller dans des lieux publics. Elle a cédé. « OK », a-t-elle dit.

Bien entendu, j'avais vu toutes les publicités. J'ai commandé un Big Mac, après avoir vérifié qu'il ne contenait pas de porc, avec des frites et un Coca. Le hamburger était enveloppé dans du papier, et les frites dans un sachet marron au lieu d'être sur des assiettes. Le hamburger était petit et terne, pas du tout luisant et dodu comme dans les pubs, et je connaissais tout un tas d'informations sur la mauvaise qualité de la viande et de ce que ça faisait au corps. Donc mes attentes n'étaient pas trop élevées, mais j'ai bien aimé, surtout avec plein de ketchup.

Mon Coca était pétillant, ce qui ne me plaît pas trop, et j'ai raconté à Nasrine un fait intéressant : à savoir que les Islandais consomment plus de Coca-Cola par habitant que n'importe quelle autre nation. Mais elle ne m'écoutait pas vraiment. Elle était sur Google Maps en train d'étudier notre itinéraire. Nous n'étions pas très loin de l'Italie. J'étais enthousiaste à l'idée de découvrir les célèbres œuvres d'art et les ruines romaines, mais nous aurions mis plus longtemps à faire le tour par là qu'à passer par la Slovénie.

Après ça, nous sommes allées dans un centre commercial (mon premier) et, autre première : je suis montée sur un escalator. Nous avons mis longtemps à trouver comment l'utiliser avec un fauteuil roulant. C'était génial, même si ça faisait un peu peur dans la descente.

Nous avions les yeux exorbités devant tous les magasins. Quand bien même on ne se couvre pas la tête, on porte toujours des vêtements à manches longues et des pantalons couvrants. En Europe, nous n'arrivions pas à nous habituer à ce que les femmes exposent autant de peau. J'étais heureuse de retrouver une vie normale après avoir passé tout ce temps en pleine guerre avec des bombardements et des pannes de courant. Pendant une heure environ, je pouvais faire semblant d'être une fille qui vivait là plutôt qu'une réfugiée sans maison. Nasrine, qui avait mal aux yeux à cause de toute la poussière et du pollen, a même essayé des lunettes de soleil comme si nous étions des clientes normales.

C'est alors que j'ai remarqué qu'une fille nous observait. Nous avons pris peur, mais elle était très gentille. « C'est toi la réfugiée en photo dans le journal ! » s'est-elle exclamée.

Nasrine a ri : « Tu es célèbre. » Mais je craignais que les gens s'intéressent à moi uniquement à cause du fauteuil roulant. « C'est peut-être ce qui les a attirés, a expliqué Nasrine, mais c'est ta personnalité qui leur a donné envie de te parler. »

Parfois, ma sœur est douce comme un oiseau — même si elle ne soutient pas la bonne équipe de foot.

*
* *

De retour à la gare, nous avons entendu dire que la Slovénie arrêtait les trains en provenance de Croatie. Nous avons décidé d'utiliser un peu de notre précieux argent pour prendre un taxi jusqu'à la frontière. Nous avons eu de la chance, car la sœur du chauffeur vivait là-bas et il savait exactement où aller. Le paysage était magnifique. Nous avions toujours autant de mal à croire que l'Europe soit si verte. Et propre partout. Elle n'avait pas la même odeur que la Syrie, comme si les gens parfumaient les rues.

Le voyage vers l'ouest a duré une heure et demie, et le chauffeur nous a déposées près de la frontière slovène sur une route imprononçable du nom de Žumberački. C'était étrange de se dire que tous les pays que nous avions traversés depuis notre départ de la Grèce formaient un seul pays — la Yougoslavie — il y a encore dix ans. Je me suis demandé si notre pays allait finir morcelé, lui aussi.

Le chauffeur nous a indiqué un champ de fleurs qu'il fallait traverser. Le soleil se couchait et on ne voyait plus rien droit devant si ce n'est la forêt et la silhouette mauve des montagnes. Nous sommes rapidement arrivées en Slovénie. C'était étrange de ne pas voir d'autres réfugiés. Il y avait un petit village à proximité. A notre arrivée, des chiens se sont mis à aboyer. J'étais hypnotisée par la vue, j'adorais la sensation de la brise dans mes cheveux et le parfum frais des pins. Mais Nasrine avait une peur bleue. Nous n'avions nulle part où aller, il commençait à faire nuit et nous avions entendu parler des bandits qui dévalisaient les réfugiés — non pas que nous possédions grand-chose. « Oh mon Dieu, on va devoir dormir dans la forêt », s'est-elle inquiétée.

C'est à ce moment-là que nous avons entendu des bruits

de pas. Des habitants avaient dû appeler la police. Je pense que Nasrine était plutôt soulagée de les voir, même s'ils nous ont arrêtées quand on leur a dit qu'on venait de Syrie. Une fois encore on nous a fait monter dans un fourgon. Ils nous ont emmenées au poste dans le village voisin de Perišče. Contre toute attente dans une localité aussi petite, ils avaient un traducteur irakien, et ils ont entrepris un vaste interrogatoire en nous demandant comment nous avions traversé la frontière et comment s'était déroulé tout notre voyage depuis la Syrie via la Turquie, la Grèce, la Macédoine et ainsi de suite. Je ne voyais pas en quoi ça les concernait.

Notre récit terminé, ils nous ont annoncé qu'ils allaient relever nos empreintes. Pour rien au monde nous ne voulions atterrir en Slovénie ; nous avons donc refusé. Le policier était insistant. J'ai demandé si nous étions obligées de le faire. « Vous avez l'air gentille, m'a-t-il répondu. Vous voulez qu'on utilise la méthode douce ou la méthode dure ? » Je voyais bien qu'il n'y avait aucun moyen d'y échapper.

Nous avons alors découvert notre malchance : le gouvernement slovène avait annoncé que les cent premières personnes à entrer en Slovénie seraient interrogées et renvoyées en Croatie. Nous étions les deux premières. Un grand classique : pour la première fois de ma vie j'arrive numéro un, alors que ce n'est vraiment pas le moment !

A ce stade, comme il était très tard, on nous a enfermées au poste dans une cellule avec des barreaux en nous informant qu'on serait renvoyées en Croatie le lendemain. La cellule avait deux couchettes et un bouton pour appeler le gardien en cas de besoin. Je n'étais pas contente d'être en prison, mais j'étais si fatiguée que, pour la première fois depuis une éternité, j'ai bien dormi.

Le lendemain matin, l'attente a commencé. On était censé venir nous chercher à 9 heures, mais sur le coup des 13 heures nous étions toujours là et personne ne nous disait rien. On a fini par appeler le gardien. Il nous a expliqué que le gouvernement croate avait refusé de nous reprendre.

Ensuite on nous a fait sortir dans une cour où étaient retenus un grand nombre de réfugiés. Ils nous ont raconté qu'ils étaient arrivés en train depuis la Croatie, qu'on les avait enfermés dans les wagons pendant des heures pour finalement les amener ici. Un représentant du HCR m'a conseillé de faire une demande d'asile en Slovénie. Je me suis mise en colère :

— Vous êtes censés protéger les réfugiés ! Nous sommes deux jeunes filles dans une ville étrangère, on ne va pas rester ici toutes seules à attendre pendant des mois. Qu'est-ce qu'on deviendrait ?

En définitive, un autocar est arrivé et on nous a fait monter à bord avec les autres réfugiés. Comme d'habitude nous étions assises à l'avant. Et une fois encore sans aucune idée de notre destination. Avec nous il y avait d'autres Syriens ainsi que des Afghans, mais la plupart des passagers semblaient être irakiens, y compris un groupe de yézidis. Non seulement ils avaient effectué le même trajet que nous, mais ils avaient tout d'abord été contraints de traverser la Syrie. Nous étions désolées pour eux : ils avaient franchi deux zones de guerre et arrivaient à la fin de leur périple, alors que les Allemands avaient annoncé qu'ils n'accepteraient que les Syriens.

Le bus nous a conduits à travers un paysage de hautes montagnes avec des massifs boisés, des chutes d'eau, des lacs et des falaises abruptes parsemées d'arbres. Les panneaux de signalisation n'étaient pas d'un grand secours pour nous révéler notre destination, étant donné que les mots étaient incompréhensibles et qu'il semblait leur manquer des voyelles, mais des passagers suivaient sur Google Maps : nous nous dirigions vers l'ouest en direction de la capitale slovène, Ljubljana.

A la tombée de la nuit le bus s'est arrêté au centre de rétention de Postojna, un bâtiment parfaitement effrayant de deux étages avec des barreaux aux fenêtres qui s'est révélé être un camp militaire. Des policiers sont montés à bord pour nous annoncer qu'ils allaient prendre nos téléphones, notre argent et nos objets de valeur. L'angoisse a grimpé d'un cran. « Ils vont nous enfermer ici, sinon pourquoi prendraient-ils nos téléphones ? » s'est inquiété un homme. « Nous ne descendrons pas du bus ! » a crié un autre passager.

Je pense que les Irakiens étaient chiites parce qu'ils ont commencé à prier Ali — je n'avais encore jamais entendu prier des chiites. Nous, les sunnites, disons : « Il n'y a pas d'autre Dieu qu'Allah, et Mohammed est son messager (que la paix soit avec lui) », mais les chiites ajoutent une phrase à la fin : « et Ali est l'ami de Dieu ». J'ai fait en sorte de ne pas écouter parce que nous ne sommes pas polythéistes.

Ça m'a rappelé le mariage royal que j'avais suivi à la télévision à Alep. Nasrine faisait le ménage dans la chambre à ce moment-là, et quand le prince William et Kate avaient commencé à prononcer les vœux de mariage et à échanger les alliances, ils avaient dit : « Au nom du Père et du Fils et du Saint-Esprit. » Je n'avais pas compris parce que je ne connaissais rien au christianisme à l'époque, mais Nasrine avait maugréé : « Ignares ! »

Les prières et les gémissements des chiites nous faisaient peur. Nasrine s'est mise à pleurer. Puis un passager a raconté qu'il connaissait quelqu'un qui avait été enfermé dans le camp pendant deux mois, et tout le monde a paniqué. Ils ont commencé à demander quelles garanties nous avions de pouvoir repartir une fois à l'intérieur.

En fin de compte, les policiers ont perdu patience : ils nous ont ordonné de descendre du bus, puis nous ont rassemblés dans le centre de détention. Ils nous avaient laissé nos téléphones mais, en l'absence de réseau ou de Wi-Fi, nous n'avions aucun moyen de savoir où nous étions. Je me suis mise à pleurer parce que je me suis dit que je n'allais plus jamais revoir la lumière du jour.

Et puis j'ai songé que c'était le genre d'obstacle qui m'attendait dans un nouveau pays, et j'ai commencé à me calmer. J'ai pensé à Nelson Mandela et aux vingt-sept années qu'il avait passées en prison, sans jamais rien perdre de sa combativité, et à Abdullah Öcalan, le chef du PKK, qui était emprisonné en Turquie depuis 1999. Mais ce n'était pas vraiment idéal pour retrouver le sourire, alors j'ai essayé de me concentrer pour énumérer la liste des Romanov — habituellement, ça fonctionne.

Une fois dans le centre on nous a séparés en deux groupes : les hommes célibataires et les familles. On nous a emmenées Nasrine et moi dans une pièce avec une famille afghane. La femme était voilée, il y avait un homme et un petit garçon, et on ne comprenait pas un mot de ce qu'ils disaient. Nous avions un peu peur des Afghans après la bagarre qu'ils avaient déclenchée à Lesbos et aussi parce qu'ils refusaient toujours de faire la queue aux postes frontières. Parfois ils se faisaient passer pour des Syriens car les Allemands avaient annoncé qu'ils accepteraient les Syriens, mais nous ne pensions pas qu'ils parviendraient à convaincre qui que ce soit, car leur langue et leur apparence sont totalement différentes.

Puis nous avons entendu quelqu'un parler arabe dehors, un Syrien qui se plaignait à un gardien que sa femme ne devait pas se retrouver dans la même pièce qu'un étranger. Le gardien est entré, il a fait sortir les Afghans et a mis les Syriens à la place.

Ils étaient originaires de la ville d'Idleb, dans le nord de la Syrie, qui, à l'issue d'une grande bataille n'était plus sous le contrôle d'Assad et avait été reprise par le Front al-Nosra. Le groupe comprenait un homme marié, son épouse et leur bébé, le frère de la femme et une mère seule qui nous a expliqué que son mari avait été tué dans un raid aérien. Elle nous a montré sur son téléphone des photos de ses enfants, qu'elle avait laissés dans un camp au Liban. Comme elle ne pouvait pas tous les emmener en Allemagne, elle avait pour projet d'y aller seule, de demander l'asile, puis de les faire venir par le processus du regroupement familial. De nombreuses personnes semblaient choisir cette option, mais nous savions par Bland que ce n'était pas facile.

La famille d'Idleb était gentille, mais j'étais trop épuisée pour écouter des histoires tristes. La nuit a été rude. Il y avait six couchettes ; ma sœur et moi avons pris deux lits superposés, moi en bas et Nasrine en haut. Ils étaient inconfortables, j'avais peur de tomber et un moustique n'arrêtait pas de m'embêter. J'ai rêvé d'Ayee, que je dormais à côté d'elle mais, quand j'ai essayé de me tourner contre elle, je me suis réveillée et j'ai vu qu'elle n'était pas là, ce qui m'a bouleversée. Puis nous avons été réveillées à 4 heures : l'autre famille avait réglé le réveil du téléphone pour prier.

Nasrine m'a raconté que quand elle a entendu la sonnerie

dans son sommeil elle s'est mise à rêver qu'elle était en pèlerinage, comme notre *hajj* à La Mecque, sauf que c'était en Slovénie et que tout le monde était habillé en blanc. Habituellement elle prie chaque jour ; j'imagine qu'elle culpabilisait de ne pas avoir prié pendant le voyage.

Après un petit déjeuner de pain et de fromage nous sommes sorties. Il y avait une cour, dans laquelle certains réfugiés jouaient au foot, elle était recouverte de filets tout autour et au-dessus, de sorte que même le ciel donnait l'impression d'être fermé. C'est ce qui m'a fait le plus peur. Je me suis dit que j'étais prisonnière de cet endroit.

A l'intérieur du centre un grand réfectoire muni d'une télévision diffusait Al Jazeera. Les principales informations touchaient à la crise des réfugiés — on parlait de nous comme d'un « raz-de-marée d'êtres humains » — et nous avons regardé pour voir ce qui se passait aux frontières. La Hongrie était toujours fermée, et un flot de plus en plus important de personnes passait par la Croatie — onze mille jusqu'ici — qui avait fermé la majorité de ses points de passage routiers et disait ne plus pouvoir accepter personne. La Slovénie avait interrompu tout trafic ferroviaire sur la ligne principale depuis la Croatie et affirmait vouloir introduire des contrôles aux frontières. Même l'Allemagne était submergée, au point qu'elle avait suspendu les trains venant d'Autriche. Il y avait des images de gens prenant d'assaut un bus pour la Croatie ou déferlant en masse à travers champs. Nous étions telle une tribu perdue qui se faisait repousser de frontière en frontière.

Puis le reportage allait à Bruxelles, où les dirigeants de l'UE en complet-cravate allaient de réunion en réunion pour discuter de « la crise des migrants ». Tous étaient d'accord pour dire que c'était vraiment sérieux et qu'il fallait faire quelque chose, mais aucun d'entre eux ne donnait l'impression de vouloir de nous et tout le monde avait l'air très en colère contre l'Allemagne. Je ne pouvais pas m'empêcher de penser qu'on était certes nombreux, mais même à 1 million, on ne représentait même pas 0,2 % des 500 millions d'habitants de l'UE — et dans notre tradition on ne tournait jamais le dos à ceux qui étaient dans le besoin.

« L'Union européenne n'est pas dans un bon état », a déclaré un homme à lunettes sérieux du nom de Jean-Claude Juncker, dont la tête se dressait comme celle de ma vieille tortue, et qui était présenté comme le président de la Commission européenne (je ne savais pas trop ce que c'était). « Il n'y a pas assez d'Europe dans cette Union et pas assez d'union dans cette Union européenne. »[7] Je me suis demandé pourquoi il ne faisait rien, alors qu'il était aux commandes. Ça donnait l'impression que le reste du monde souhaitait simplement nous voir disparaître.

Tout le monde parlait de la crise migratoire. Dans le centre, de nombreuses personnes venaient d'Alep comme nous. Mais elles étaient parties plus récemment et les histoires qu'elles racontaient sur les bombardements et sur la faim étaient horribles.

Nasrine a discuté avec les yézidis — leur dialecte est semblable à notre kurmandji. Il y avait une fille dont les deux frères avaient été tués par Daesh alors qu'ils fuyaient les montagnes, et dont la sœur avait été enlevée. Avec d'autres qui s'étaient enfuies, elle s'était griffé le visage pour s'enlaidir et que Daesh n'en veuille pas. Ses parents avaient vendu tout ce qui leur restait, y compris l'or de sa mère, pour qu'elle puisse partir. « Il n'y a plus rien de bon pour nous en Irak », a-t-elle conclu. Elle avait tatoué son nom sur son poignet, si jamais elle se faisait tuer et que personne ne savait qui elle était.

Nous avons également fait la connaissance d'un couple de Palestiniens avec six enfants, dont deux paires de jumeaux, qui nous a raconté qu'ils étaient deux fois réfugiés. Leur famille avait fui vers la Syrie en 1948, après la fin du mandat britannique en Palestine, quand les milices juives avaient commencé à raser des villages pour confisquer des terres pour le nouvel Etat d'Israël. Avant, il y avait environ un demi-million de Palestiniens en Syrie — faut dire qu'avant c'était un endroit agréable à vivre.

Cette famille avait grandi dans un grand camp du nom de Yarmouk au sud de Damas, sorte de ville avec des écoles, des hôpitaux, et même sa propre presse. Ils avaient essayé de rester en dehors de la révolution mais, en 2012, le régime syrien avait décrété que la zone était un refuge pour les combattants rebelles et Assad l'avait fait bombarder. Chaque jour, des fusillades éclataient entre les deux côtés. Ils s'étaient enfuis jusqu'à un campement au Liban. Là-bas, la vie était atroce, disaient-ils : les Palestiniens n'étant pas traités à la même enseigne que les Syriens, ils devaient payer leurs permis de séjour et le loyer du camp. Au départ, ils pensaient qu'Assad se ferait rapidement évincer et qu'ils pourraient retourner à Yarmouk. Mais ça n'est jamais arrivé. Avec le temps et l'afflux des réfugiés, le capital de sympathie du Liban envers les migrants s'est tari. A présent il y a 1,2 million de Syriens dans ce pays — quasiment l'équivalent d'un quart de la population —, alors qu'il ne représente qu'une petite bande de territoire.

L'argent du ménage venait à manquer, tout comme les rations alimentaires du camp. Quand ils ont entendu les paroles de Mme Merkel et qu'ils ont vu les gens qui entraient en Allemagne, ils ont décidé de tenter leur chance.

Ils ont payé des passeurs pour les emmener en Turquie et de là ils ont traversé en bateau jusqu'à la Grèce, sur l'île de Kos. De ce qu'ils racontaient, les conditions étaient pires là-bas que sur Lesbos car le maire détestait les réfugiés qu'il faisait enfermer dans un stade de foot, sans eau. Lorsqu'ils ont enfin obtenu les papiers officiels, ils ont réservé des places sur le ferry d'Athènes. Comme le nôtre, il partait à l'aube et ils se sont tous endormis. A leur réveil, ils ont constaté que le ferry n'avait pas bougé. Les gens étaient tellement en colère que des émeutes ont éclaté. Le ferry a fini par lever l'ancre. Au bout de huit heures, il s'est arrêté et ils ont débarqué. C'est à ce moment-là qu'ils se sont aperçus qu'ils étaient désormais à Mytilène sur Lesbos, et non pas à Athènes.

En racontant leur histoire, ils riaient beaucoup. Les réfugiés sont des personnes résilientes.

J'étais surprise par le calme de Nasrine. Il s'expliquait peut-être par le fait que la famille d'Idleb avait promis de nous accompagner en Allemagne pour que nous ne restions pas seules.

Ça a été pour ma part le jour le plus dur du voyage. Nous avions tout perdu — notre pays, notre maison, ma tante et mon oncle —, nous étions séparées de notre famille, et voilà que nous étions prisonnières. L'emprisonnement des réfugiés était illégal, mais que faire ? J'avais peur qu'ils ne nous gardent ici pendant trois ou quatre mois.

C'est là, encerclée par la police et dans l'incapacité de sortir, que j'ai mesuré à quel point la liberté était précieuse. Ce jour-là, j'ai compris pourquoi nous avions entamé toute cette révolution, malgré la réaction d'Assad qui avait conduit le pays à sa destruction. Je ne pouvais plus faire semblant de faire une espèce de voyage d'agrément à travers l'Europe — je savais à présent que j'étais véritablement une réfugiée.

Dans le centre de détention, le seul point positif était la nourriture, notamment un jus de cynorrhodon rouge appelé *cockta* qui avait un goût d'herbes et de pétales et me rappelait le *sarep* que j'adorais enfant.

A ce moment-là nous avons appris que les Irakiens avaient réussi à sortir en faisant une grève de la faim, et nous avons décidé de faire de même. La menace a produit son effet et, le lendemain — au bout de deux nuits —, les Slovènes nous ont laissés sortir. Ils nous ont mis dans un bus à destination d'un camp d'accueil ouvert dans la commune de Logatec.

Ce n'est qu'en quittant Postojna que je me suis aperçue de la beauté de ses paysages où tout était vert. Plus tard, j'ai fait des recherches sur cet endroit et j'ai appris que des bébés dragons étaient nés dans une grotte des montagnes, juste au-dessus de l'endroit où nous étions. Je ne savais même pas que les dragons existaient. Je trouvais dommage que nous ne voyions de ces pays que des policiers et des réfugiés.

16

La Mélodie du bonheur

Slovénie–Autriche, 20–21 septembre 2015

J'avais un peu peur d'entrer en Autriche, pour deux raisons. La première, comme je l'expliquais à Nasrine, était que c'était le lieu de naissance d'Hitler, l'homme qui avait entraîné la dernière vraie grande crise des réfugiés en Europe. La deuxième était que soixante et onze réfugiés y avaient trouvé la mort le mois précédent, asphyxiés à l'intérieur d'un camion frigorifique qui servait au transport de poulets congelés. Le camion, abandonné sur le bas-côté d'une autoroute entre Budapest et Vienne, avait été repéré par la police autrichienne parce que du liquide s'écoulait par l'arrière. En l'ouvrant, ils avaient été assaillis par l'odeur horrible : l'intérieur était rempli de cadavres en décomposition, dont huit femmes, trois enfants et un bébé de tout juste dix-huit mois. Les parois du camion étaient bosselées là où, dans leur désespoir, les passagers avaient donné des coups de poing alors qu'ils suffoquaient.

Au cours de notre voyage, exception faite de l'étape entre la Turquie et la Grèce, nous avions essayé d'éviter les passeurs, même si les taxis en avaient souvent profité pour nous faire payer trop cher. Mais en règle générale nous avions eu de la chance — peut-être en raison de l'avantage handicap, mais surtout parce que des gens avaient tenté de nous venir en aide en cours de route. Beaucoup de réfugiés avaient parcouru à pied des centaines de kilomètres. Nous n'avions passé la nuit dehors qu'en Turquie et en Grèce. On plaisantait parfois en disant qu'on était des réfugiées cinq étoiles.

Nous étions désormais si près du but — il ne restait plus qu'un seul pays à traverser — que nous ne voulions courir aucun risque. L'Autriche avait rétabli les contrôles aux frontières, et un cousin nous avait raconté que pour soulager l'Allemagne le pays envoyait les réfugiés dans un centre de détention. Nous avons donc décidé de descendre du train qui ralliait Logatec à l'Autriche un arrêt avant la frontière au cas où la police monte à bord pour procéder à des arrestations.

Le train se rendait dans la ville autrichienne de Graz, et nous sommes descendues à la dernière ville slovène, Maribor. La famille d'Idleb, avec laquelle nous faisions le voyage depuis le centre de détention, était restée à bord et trouvait notre décision imprudente. Tandis que Nasrine me faisait descendre, plusieurs personnes ont essayé de nous dissuader en criant : « Ce n'est pas l'Autriche, c'est la Slovénie ! »

« Je sais », ai-je répliqué. Je trouvais le plan stupide : nous avions l'air épouvantables et épuisées, les gens allaient se demander ce qu'on faisait là.

L'Autriche est si proche de Maribor que de nombreuses personnes passent la frontière chaque jour pour se rendre à leur travail. En réalité, il faut tout de même parcourir plus de 20 kilomètres, soit pas exactement une distance pouvant se faire à pied comme nous l'avions pensé. Nous avons commencé à marcher le long de l'autoroute à la recherche d'un taxi. Nous avions l'air si pitoyables que, si les gens nous avaient vues, ils auraient fondu en larmes.

Nous avons vite compris que notre plan était véritablement stupide : des bénévoles se sont arrêtés dans une voiture remplie de nourriture pour les réfugiés et nous ont assuré qu'il n'y avait aucun moyen d'éviter la police de la frontière par la route ou à pied. Le moyen le plus sûr était le train. C'est alors que la famille d'Idleb nous a appelées pour nous informer qu'ils étaient passés par Graz sans encombre. Nous avions donc choisi la mauvaise option.

Les bénévoles nous ont appelé un taxi. Le chauffeur nous a fait payer moitié prix parce que nous étions des réfugiées. Nous nous sommes rendu compte que nous avions traversé toute la Slovénie gratuitement ou presque. Tout le monde ne nous hait pas.

Comme quasiment à chaque fois qu'on arrivait dans un nouveau pays, le soleil commençait à se coucher lorsqu'on est entrées en Autriche. J'étais désorientée car aucun panneau n'indiquait que nous étions dans un autre pays — pas de drapeau, rien.

Le taxi nous a laissées à une barrière de police dans une commune du nom de Spielfeld où on pouvait voir de nombreuses tentes et quelques bénévoles de la Croix-Rouge et de l'Ordre de Malte. Une interprète qui parlait arabe dans un dialecte égyptien nous a dirigées vers une tente où on nous a distribué à chacune un sandwich et une couverture en nous informant qu'un bus passerait plus tard à destination d'un camp à Graz. L'endroit ne me plaisait pas parce qu'il faisait très froid, qu'il n'y avait même pas de matelas ni assez de tentes, obligeant certaines personnes à dormir dehors. Quelqu'un nous a précisé qu'on était libres de partir, mais qu'en cas d'arrestation on risquait le prélèvement d'empreintes et la demande d'asile forcée en Autriche. Nous ne savions pas quoi faire.

Il y avait une foule de personnes et certaines attendaient le bus depuis 8 heures du matin. Nous avons attendu des heures et des heures en nous disant qu'on allait y passer la nuit. Je tremblais d'épuisement. Enfin, à minuit, le bus est arrivé. Il nous a conduits à Graz, le lieu de naissance de l'archiduc François-Ferdinand. Je le savais parce qu'un jour j'avais regardé une émission intitulée *Les Grands Assassinats de l'histoire*. J'étais persuadée que le Mahatma Gandhi serait numéro un, mais c'était l'archiduc François-Ferdinand. Evidemment, ils ont jugé l'impact que son meurtre avait eu sur le monde. Je suis bête !

Lorsque nous sommes sorties du bus, au camp, des traducteurs en gilets de sécurité orange vif nous ont crié dans différentes langues au moyen de mégaphones de faire la queue. Parmi les réfugiés il y avait des avocats, des docteurs ou des gens importants au sein de leur communauté au pays ; mais debout, à bout de forces, avec de maigres possessions rassemblées dans un sac à dos, un sac marin ou un cabas, tous avaient l'air sombre et abattu.

On nous a divisés entre ceux qui voulaient rester en Autriche et ceux qui espéraient poursuivre vers l'Allemagne — à savoir presque tout le monde.

Chacun, y compris les enfants et les bébés, s'est vu remettre un bracelet vert. Sous le choc, j'ai pensé aux étoiles jaunes que les nazis faisaient porter aux Juifs, mais les bénévoles ont expliqué que nous en avions besoin pour les repas. Les bracelets étaient numérotés et, une fois nos numéros appelés, nous pourrions alors monter à bord d'un bus en direction de la frontière entre l'Autriche et l'Allemagne. Nous avions les bracelets 701 et 702, ce qui voulait dire que nous allions sans doute rester ici pendant longtemps, sachant que chaque bus contenait quarante personnes seulement et qu'il n'en passait que quatre ou cinq par jour. C'est drôle, même l'Autriche qui est un pays riche avait l'air de ne pas faire face à l'afflux de réfugiés.

Après la distribution des bracelets, on nous a emmenés dans le centre de réfugiés, qui se trouvait dans un ancien supermarché. Avant de quitter la Turquie, j'avais appris quelques mots d'allemand en prévision, et j'ai essayé de demander du thé chaud à un bénévole. Il m'a donné du lait froid. Des rallonges électriques pendaient près de l'entrée et, comme tout le monde, notre premier geste a été de recharger notre téléphone — notre bouée de sauvetage.

A l'intérieur se succédaient des rangées sans fin de lits pliables en métal vert, comme des lits de camp de l'armée ou des lits de consultation. Quasiment chaque emplacement était occupé. Il devait y avoir un millier de personnes. L'endroit était bondé et confiné, l'air vicié par tant de gens qui ne s'étaient pas lavés depuis des jours, voire des semaines, comme nous. Le tout sous la lumière vive de gros néons. On nous a désigné deux lits, et les bénévoles nous ont tendu une lourde couverture grise à chacune, ou *Decke* — le premier mot nouveau que j'apprenais en allemand.

Nous tentions de trouver le sommeil lorsque des cris de colère ont éclaté. Un groupe d'hommes afghans et syriens se disputaient les prises de courant dans la zone de recharge. Je me suis rendu compte à quel point notre comportement avait dégénéré à cause de la guerre.

Soudain les lumières se sont éteintes. J'ai essayé de dormir, malgré tous les enfants qui pleuraient, malgré le froid. La tente comportait un seul radiateur, ce qui ne suffisait clairement pas à chauffer tout l'espace, et les couvertures étaient trop fines. Nasrine a sorti tous nos vêtements du sac à dos pour les étaler sur moi, mais j'avais encore froid et je claquais des dents.

Le campement était dirigé par l'armée autrichienne. Chaque matin, des soldats venaient nettoyer les tentes, ramasser les bouteilles d'eau et les poubelles.

Pendant que nous attendions, Nasrine a commencé à bavarder avec les gens des lits de camp voisins. Comme je me bouche toujours les oreilles pour ne pas entendre les choses négatives, je ne leur ai pas vraiment parlé. Certains débattaient des endroits où aller — s'il valait mieux tenter la Suède, le Danemark ou la Hollande, sachant que l'Allemagne commençait à être pleine. D'autres racontaient des bribes de leur histoire.

Parmi ces personnes se trouvait une fille magnifique, âgée de quelques années de plus que moi, du nom de Hiba. Elle était en pleurs parce qu'elle avait été séparée de son petit ami en Hongrie. Originaire de Damas, où elle étudiait l'économie, elle était partie avec ses frères et la famille de son petit ami après que le frère aîné de celui-ci avait été enrôlé et tué à la guerre. Ils avaient voyagé dans un grand groupe, mais leur séjour en Hongrie — coincés pendant des jours dans la gare de Keleti — avait été atroce. Ils avaient alors utilisé un passeur pour rejoindre la frontière autrichienne où ils s'étaient fait refouler. C'est à cette frontière qu'ils avaient entendu parler des gens asphyxiés dans le camion un jour plus tôt. Après ça, la famille de son petit ami avait décidé d'abandonner et de se rendre dans un camp hongrois pour y demander l'asile, et il n'avait eu d'autre choix que de les accompagner. De son côté, Hiba avait décidé avec ses frères de rebrousser chemin jusqu'à Budapest et de trouver un autre passeur pour rallier l'Autriche. Cette fois-ci avec succès. A présent, tous les messages qu'elle envoyait à son ami sur Messenger restaient sans réponse. La seule chose qui la reliait à lui était l'ourson en peluche rose qu'il lui avait laissé. En décrivant le moment où elle avait vu la police hongroise l'emmener dans un autocar, elle avait dit : « Les adieux, c'est pas cool. » C'était comme *Roméo et Juliette*, ou *Mem et Zîn*.

En allant aux toilettes, j'ai vu beaucoup de femmes voilées, mais également une fille syrienne aux longs cheveux blonds qui avait l'air européenne. Elle nous a expliqué que les gens restaient coincés dans le camp pendant deux à trois jours à attendre les bus. Je n'imaginais pas rester dans cet endroit épouvantable pendant trois jours : on a donc essayé d'utiliser mon asthme comme prétexte. Au centre de premiers soins, nous avons précisé au docteur que l'endroit était trop confiné pour que je puisse rester, mais il nous a répondu qu'on allait devoir attendre.

Puis un bénévole a énoncé à voix haute les chiffres des passagers pour le bus suivant. Ils étaient très éloignés des nôtres. Des dizaines de réfugiés se sont élancés vers les barrières qui, une fois ouvertes, les amènerait au bus à destination de la frontière allemande. Les gens se bousculaient pour monter à bord, quand bien même ce n'était pas leur tour, tandis que les bénévoles en veste orange tentaient de retenir la foule.

Je voulais à tout prix quitter cet endroit. Les réfugiés vivent de rumeurs et de messages Facebook, et nous avions entendu dire que les trains circulaient de nouveau de l'Autriche à l'Allemagne. Quelqu'un nous a dit qu'avec de l'argent on pouvait emprunter un taxi jusqu'à la gare de Graz pour prendre un train. Nous avons décidé de faire ça malgré la peur d'être arrêtées et qu'on relève nos empreintes.

Notre chauffeur, qui était égyptien, a commencé à nous parler des répercussions de l'afflux soudain des réfugiés — qui marchaient au bord de l'autoroute et dont les Autrichiens ne savaient pas quoi faire. C'était comme si des plantes étrangères s'étaient soudainement mises à pousser, a-t-il expliqué : tout ce que les réfugiés faisaient était différent. L'idée d'être comparées à des plantes exotiques nous a beaucoup fait rire.

Quelqu'un nous a donné un coup de main pour faire monter le fauteuil roulant dans le train. A bord, d'autres Syriens ont essayé d'engager la conversation, mais nous les avons ignorés pour éviter de ressembler à un groupe de réfugiés au cas où la police monte dans le train.

Nasrine était soulagée que nous soyons presque en Allemagne. « Maintenant ça ressemble vraiment à l'Europe occidentale », a-t-elle commenté.

La proximité de notre destination finale me rendait heureuse et triste à la fois. L'Europe était exactement telle que je me la représentais dans mes rêves — la nature, la verdure —, même si, bien entendu, je préférais mon pays natal. Ici, la propreté des rues était à peine croyable. Le chauffeur égyptien nous avait expliqué qu'en Autriche on payait une amende si on jetait son paquet de cigarettes par la vitre de la voiture — comme les gens font tout le temps en Syrie.

Mais j'étais triste que notre voyage tire à sa fin ; j'allais redevenir la fille dans sa chambre. Au cours des trois semaines qui venaient de s'écouler, je m'étais sentie comme tout le monde et j'avais fait l'expérience de la vraie vie, même si j'avais eu besoin de ma sœur pour me pousser.

Tandis que le train hoquetait à travers les Alpes, dépassant des montagnes enneigées et des petits villages aux chalets de bois et aux coupoles d'églises en forme d'oignon, j'ai pensé à Heidi qui vivait avec son grand-père grincheux et à Peter le chevrier. Je relis souvent ce livre parce qu'il n'en existe pas beaucoup avec des personnages handicapés, et Heidi a une amie infirme, Clara, qui séjourne chez eux, ce qui rend Peter jaloux. Il balance sa chaise roulante au pied de la montagne, après quoi elle apprend à marcher dans l'air sain des Alpes. Et puis j'adore le moment où Heidi cache des chatons dans le grenier de la demeure de Clara et où la gouvernante pousse un cri. Moi aussi, je me serais mise à crier.

Les prairies verdoyantes m'ont fait penser à *La Mélodie du bonheur* et à Maria qui gambade vêtue de son tablier. Je ne pouvais pas m'empêcher de me la représenter telle qu'elle est dans le film, ce qui m'agaçait parce que j'avais lu *La Famille des chanteurs Trapp*, le livre de la vraie Maria von Trapp, et le film gâchait tout.

D'ailleurs, je connais les prénoms de tous les vrais enfants de *La Famille des chanteurs Trapp* — l'aîné s'appelle Rupert, pas une fille du nom de Liesl —, et ils étaient dix et pas sept. En plus, le capitaine von Trapp n'était pas sévère comme dans le film, et il jouait du violon et non pas de la guitare. C'est comme la Syrie et Assad : on se fait toujours berner par les gens haut placés.

Les von Trapp aussi étaient des réfugiés. Ils avaient fui l'Autriche après que les nazis l'avaient envahie en 1938. Eux aussi avaient pris le train — ils n'étaient pas passés par les montagnes comme dans le film. Ils étaient partis pour une tournée de concerts dont ils ne sont jamais rentrés.

Plus tard, ils ont pris le bateau jusqu'à New York, où à leur arrivée ils n'avaient que quelques dollars en poche.

Leur histoire m'évoquait la nôtre — même si, dans notre cas, nous prenions la fuite vers l'Allemagne au lieu de la quitter. Nous avions de la chance d'être quasiment arrivées, car nous étions nous aussi à court d'argent après avoir épuisé tous les fonds que nos frères Mustafa et Farhad avaient envoyés.

Lorsque le train est entré dans Salzbourg, la police est montée à bord et a fait descendre tous les Syriens. Nous avons alors pris conscience que nous étions des centaines. Tant pis pour la tentative de discrétion. La gare aussi était pleine de réfugiés — ils étaient arrivés en si grand nombre quand la Hongrie avait fermé ses portes et que la nouvelle route s'était ouverte depuis la Slovénie que le maire avait dû transformer le parking souterrain en camp. Ce camp avait l'air bien organisé, avec des lits, une zone de premiers soins et une aire de jeux pour les enfants. Il y avait même des habitants qui brandissaient des pancartes annonçant « *Wilkommen* » et « *Welcome Refugees* » et qui distribuaient des poires et des bananes.

On nous a orientées vers un bus qui nous a conduites à une base militaire près d'un pont qui enjambait la rivière Saalach. La police est montée à bord une fois encore et nous a fait sortir. Puis des soldats autrichiens nous ont distribué de l'eau et des biscuits. Enfin, on nous a fait signe de traverser le pont à pied, par petits groupes de vingt, vers l'Allemagne. Enfin, moi, je n'étais pas à pied. J'aurais bien aimé. Peut-être ai-je besoin qu'un Peter balance ma chaise roulante...

Sur le pont, quelqu'un m'a tendu un paquet d'Oursons

d'or. Une fois de l'autre côté, nous ne savions pas où aller, mais quelqu'un avait gribouillé « *Germani* » par terre à la craie orange, avec des flèches de la même couleur, un peu à la Hansel et Gretel, pour nous guider, comme si l'Allemagne était notre maison. Pourtant, il n'y avait pas de drapeaux allemands et nous n'étions pas sûres d'être arrivées à bon port.

— Où est l'Allemagne ? ai-je demandé à un policier.

— Bienvenue en Allemagne, a-t-il répondu en souriant.

17
Merci, *Mama* Merkel

Rosenheim, Dortmund, Essen, Allemagne,
21 septembre–15 octobre 2015

Nous sommes entrées en Allemagne le jour du vingt-sixième anniversaire de Nasrine. Le voyage depuis Gaziantep avait duré exactement un mois, et le dessous de mes bras était couvert de bleus à force de taper contre le fauteuil roulant. Mais nous avions réussi. Depuis notre départ d'Alep, nous avions parcouru plus de 5 500 kilomètres à travers neuf pays, de la guerre à la paix — un périple vers une nouvelle vie, comme mon prénom.

Soudain, tout devenait *quand*, et non plus *si*. Je regardais les Allemands en me disant qu'un jour je parlerais comme eux, je vivrais comme eux, j'aimerais comme eux. Je marcherais peut-être comme eux. Nous avons appelé Ayee et Yaba pour leur dire que nous étions arrivées : ils ont pleuré. Puis nous avons appelé Bland pour lui dire que nous le verrions bientôt. Nous étions en larmes nous aussi, tout comme d'autres réfugiés. J'avais l'impression qu'on nous avait soulagées d'un énorme poids. Nous ne savions pas ce qui allait se passer par la suite, mais nous avions atteint notre but géographique.

Mais tout d'abord, il nous a fallu attendre, car une fois franchi le pont de Saalach jusqu'à Freilassing en Allemagne, il y avait des gens partout des deux côtés de la route. La police nous a ordonnés de descendre sous le pont et de nous mettre en rang. Une longue file s'est étirée — de Syriens, d'Irakiens, d'Afghans, de Pakistanais et de gens à la peau très noire qui étaient venus d'Afrique, je suppose.

« Je passe devant. Je ne peux pas rester comme ça dans cette longue queue », ai-je déclaré à un policier, mais cette fois-ci l'avantage handicap n'a pas fonctionné. Il a jeté un œil aux Oursons d'or qu'on m'avait distribués.

— Tu es musulmane, n'est-ce pas ? m'a-t-il demandé.

— Oui, ai-je répliqué.

— Donne-moi ces bonbons. Ils sont pleins de gélatine.

Puis on nous a laissés attendre, sans rien à boire, et il commençait à faire froid. Ce n'était pas exactement l'accueil que j'avais imaginé.

Nous avons passé cinq heures sous ce pont. Ce n'est peut-être pas beaucoup après toutes ces semaines passées à voyager, après des années sous Assad, les talibans, ou quels que soient les monstres que nous fuyions, mais c'était dur de toucher au but et de rester coincées sans raison apparente.

Au bout du compte, on nous a ordonné de remonter sur le pont. Après une fouille des sacs, nous sommes montées dans un autocar de police qui nous a conduites à travers d'autres forêts montagneuses à la Heidi et le long d'un lac bleu électrique jusqu'à une ville située à environ 80 kilomètres à l'ouest : Rosenheim, en Bavière.

Le camp se trouvait à l'intérieur d'une sorte de marché couvert. Comme en Autriche, on nous a distribué des bracelets numérotés, cette fois en rouge, en nous informant que les numéros seraient appelés lorsque notre tour viendrait de monter à bord d'un bus qui nous conduirait jusqu'à l'étape suivante. Nasrine et moi avions les numéros 12 et 13, nous pensions donc être parmi les premiers, mais en réalité il y avait 300 verts, 300 bleus et 100 orange devant nous. Puis on nous a précisé qu'une cinquantaine seulement de numéros étaient gérés quotidiennement. L'attente risquait de durer plusieurs jours.

A l'image de ce que nous nous représentions de l'Allemagne, tout était très organisé. On nous a dirigées vers ce qu'ils appelaient *Bearbeitungsstrasse*, soit la « rue du traitement », dans un gymnase. On nous a distribué des sacs plastiques pour nos téléphones et nos objets de valeur ; on nous a prises en photo ; et on a vérifié qu'on n'était pas porteuses de maladies contagieuses telles que la tuberculose et la gale. Je comprends très bien la nécessité d'enregistrer tout le monde mais, honnêtement, nous ne sommes ni une maladie ni une épidémie. Malgré cela, je ne peux pas me plaindre : au moins en Allemagne la porte était ouverte, contrairement à d'autres pays de l'UE.

En tout dernier ils ont pris nos empreintes digitales. C'était étrange de ne plus avoir peur de cette étape. Puis ils nous ont remis un document appelé *Anlaufbescheinigung*, qui signifiait que nous pouvions voyager jusqu'à Munich pour déposer une demande d'asile.

Nous ne voulions pas nous rendre à Munich, étant donné que Bland vivait à Dortmund. Je leur ai dit : « Je ne veux pas rester ici, je veux voir mon frère », mais ils ont expliqué que Munich était le point d'entrée officiel pour les réfugiés. Le problème étant que la ville était débordée par l'afflux quotidien de treize mille nouveaux arrivants.

Ce qui voulait dire qu'il fallait encore attendre. Le camp du marché couvert était bondé de centaines de personnes, allongées sur des lits d'un air las. Il y avait une aire de jeux avec des Lego et des ours en peluche issus de dons, mais de nombreux enfants pleuraient, fatigués d'être trimballés et enfermés. La chaleur était étouffante, les gens perdaient connaissance — on a vu une femme s'évanouir dans la salle de bains. Les files d'attente étaient interminables pour obtenir un simple sandwich.

Pour la première fois nous avons rencontré des gens qui étaient arrivés par l'autre itinéraire en passant par la mer pour rejoindre l'Italie. Le récit de leurs traversées de la Méditerranée entre la Lybie et une île minuscule du nom de Lampedusa sur des embarcations de fortune était terrifiant. Plusieurs bateaux avaient chaviré et des centaines de personnes avaient péri en pleine mer.

Comme nous, de nombreuses personnes essayaient de rejoindre divers endroits en Allemagne où ils avaient déjà de la famille. Finalement, grâce à l'aide d'une bénévole qui a eu pitié de nous, nous avons réussi à cacher nos bracelets et à monter dans un bus qui partait plus tôt. Il se rendait dans un autre camp, dans une ville du nom de Neumarkt, pas très loin de Nuremberg. Là, nous avons dû une fois encore donner nos noms et nous enregistrer. Pour éviter d'être bloquées, on a prétexté qu'on avait besoin de sortir pour prendre l'air. De l'autre côté de la route se trouvait une station-service : ils nous ont appelé un taxi pour aller à Nuremberg.

Nuremberg est une jolie ville avec des bâtiments peints de couleurs vives qui ressemblent à des maisons en pain d'épices, avec des girouettes sorties tout droit d'un conte de fées. Nous dévorions des yeux les devantures des pâtisseries avec leurs gâteaux au chocolat moelleux et leurs *Apfelstrudel*, sur lesquels je m'étais déjà renseignée. Nasrine m'a confié qu'elle était bien contente qu'on ait effectué notre voyage de la sorte : la traversée de tous ces pays nous avait donné le temps de nous acclimater alors que, si on avait pris un avion qui nous avait amenées directement dans un endroit comme celui-ci en Allemagne, on aurait été totalement perdues. J'étais du même avis : on serait restées ahuries.

Puis nous avons aperçu un McDonald's et j'ai mangé mon premier fast-food dans mon nouveau pays. Au cours du repas mes paupières ont commencé à se fermer. Soudain je me suis sentie affreusement épuisée. J'avais tout donné pour arriver à destination ; à présent j'en avais assez de voyager. L'objectif était de prendre un train pour Cologne où vivait notre frère aîné Shiar, puis de déposer une demande d'asile dès le lendemain matin. Un train à grande vitesse partait à 21 heures et il nous restait tout juste assez d'argent pour les billets. A la gare nous sommes restées bouche bée devant les ascenseurs et tout ce qui était conçu pour faciliter la vie des personnes handicapées. Comme dirait Nasrine, tout est différent en Allemagne.

Dans notre compartiment, deux hommes afghans ont commencé à prier, leur tête se balançant de haut en bas, en scandant « *Allahu Akbar* ». On était un peu effrayées et on voyait bien que les Allemands avaient l'air alarmé. Pour la première fois j'ai pensé à l'opinion que les Allemands pouvaient avoir de nous, ces réfugiés qui arrivaient en masse pour vivre dans leur pays.

En Bavière, tout le monde n'avait pas été ravi de voir cet Etat se transformer en porte d'entrée vers la première économie de l'Europe pour des dizaines de milliers de réfugiés. Le ministre-président de la Bavière, Horst Seehofer, mettait en garde contre « une situation d'urgence que nous ne pourrons bientôt plus contrôler ». Le vice-président de son parti, Hans-Peter Friedrich, prédisait des « conséquences catastrophiques » et spéculait que des djihadistes de Daesh pourraient se cacher parmi nous.

Heureusement, Mme Merkel était une femme de poigne. « Si nous devons commencer à nous excuser d'avoir montré un visage amical dans une situation d'urgence, alors ce n'est plus mon pays »[8], a-t-elle déclaré.

Merci, *Mama* Merkel.

Le trajet en train a duré environ quatre heures pour se terminer le long du Rhin juste à côté de la cathédrale de Cologne, qui de sa grande silhouette sombre et menaçante semblait emplir tout le ciel. Je n'avais jamais vu une église de cette taille. Autrefois, c'était l'édifice le plus haut du monde. Comment a-t-il pu être épargné par la guerre ?

Puis le train est entré en gare, où Bland nous attendait avec ses longues mèches et son sourire nonchalant. Il avait fait le trajet depuis Dortmund pour nous accueillir. J'avais du mal à croire que nous étions de nouveau ensemble. J'étais si heureuse de le voir : il a toujours fait partie des grands moments de ma vie.

Quand nous sommes arrivés chez Shiar, Nahda était également là avec ses enfants — elle nous avait attendues pour que l'on puisse faire la demande d'asile ensemble. C'était agréable de se retrouver dans une ambiance familiale. Je me suis dit que notre nouvelle vie venait de commencer. Je ne savais pas ce qu'elle nous réservait et j'avais désespérément besoin de m'entourer de gens et de choses qui m'étaient connus.

Le lendemain matin, mes deux sœurs, mes deux frères, mes quatre nièces et moi avons pris le train pour Dortmund, qui traversait Düsseldorf. Jamais je n'avais vu autant de grands immeubles de verre, qui étincelaient sous la pluie. Mais je n'ai pas beaucoup contemplé le paysage. J'étais si heureuse d'être avec Bland que je n'arrêtais pas de le dévisager.

Avec Shiar il nous a accompagnées — mes deux sœurs, les enfants de Nahda et moi — jusqu'aux bureaux de l'Office fédéral pour l'immigration et les réfugiés, que les Allemands appellent BAMF. Il était bondé de réfugiés.

« Nous sommes syriennes », avons-nous annoncé à la réception. On nous a envoyé prendre des photos d'identité, puis nous avons attendu notre tour pour remplir à un guichet un formulaire de demande d'asile. Parmi les questions, il y avait une liste de maladies ou d'affections à cocher le cas échéant. Comme la paralysie cérébrale ne figurait pas sur la liste, Shiar a suggéré que je précise à la fin « *Ich kann nicht laufen* », ce qui veut dire que je ne peux pas courir.

L'agent administratif nous a dit qu'en raison du retard il faudrait compter environ trois mois avant d'obtenir l'entretien de demande d'asile. Bland, qui avait déposé son dossier le 15 juillet à Brême, attendait encore son audition dans un camp à Dortmund. Dans l'intervalle, on nous installerait dans un camp en attendant de trouver une solution plus permanente pour nous loger. En temps normal, nous a-t-on expliqué, les demandeurs d'asile sont envoyés vers un camp le jour même, mais, dans notre cas, comme j'étais mineure et que nos parents n'étaient pas avec nous, il nous faudrait patienter la nuit dans le centre d'enregistrement.

Ils nous ont installées dans une pièce vide avec des couchettes et plein de graffitis sur les murs. Comme ils n'avaient pas le droit de rester, Bland et Shiar ont été reconduits, ce à quoi je ne m'étais pas attendue. J'avais l'impression qu'à peine réunis nous étions déjà séparés.

Le lendemain, j'ai eu un entretien avec la personne responsable des mineurs, qui m'a demandé si je voulais rester avec mes frères et sœurs ou devenir pupille des autorités allemandes et aller dans ce qu'ils appelaient un camp pour mineurs. Quelle question stupide ! Même si plus tard j'ai découvert que les conditions étaient bien meilleures dans les camps pour mineurs. Je taquinais Nasrine en disant que j'aurais mieux fait d'y aller pour profiter des lits confortables, des glaces au chocolat et de la télé.

Après mon entretien on nous a dit d'attendre jusqu'à 14 heures pour savoir où nous irions. L'Allemagne répartit les réfugiés sur tout le pays proportionnellement à la population et au revenu fiscal de ses seize Etats-régions à l'aide d'un système appelé *Königsteiner Schlüssel*. Chacun de ces seize *Länder* les attribue ensuite à ses villes et bourgades, qui perçoivent un financement du gouvernement fédéral, régional et local en vue de fournir des logements et autres services. Mais nous étions si nombreux que les autorités locales avaient du mal à faire face. Les municipalités disposaient d'un préavis de moins de quarante-huit heures pour trouver un logement à des centaines de réfugiés. Ils réquisitionnaient les centres sportifs, les stades, les gymnases, les garderies, les bureaux, même l'ancien aéroport de Berlin construit par les nazis, et ils montaient des structures gonflables dans les parcs ou sur les terrains de sport. A Cologne, ils allaient même jusqu'à acheter des hôtels de luxe.

Le *Land* dans lequel nous étions s'appelait la Rhénaniedu-Nord-Westphalie, et recevait plus de 20 % de tous les réfugiés. L'endroit était réputé pour être moins difficile, et les habitants avaient l'habitude des étrangers : dans les années 1960 et 1970 de nombreux Kurdes de Turquie s'y étaient implantés, car un grand nombre d'industries avaient besoin de main-d'œuvre. Ainsi il y avait moins de racisme. C'est pour cela que Shiar s'y était installé, et notre oncle aussi. Et en plus le ministre-président était une femme.

Enfin, nos noms ont été appelés. On nous a annoncé que nous partirions en bus pour un camp à Essen à 16 h 15.

Le bus est parti à 16 h 30 — en retard d'après les normes allemandes. Oncle Ahmed et tante Shereen, avec qui nous avions pris le bateau pour Lesbos, étaient dans un camp à Essen, et nous étions enthousiastes à l'idée de nous retrouver au même endroit. Nous avons suivi notre avancée sur Google Maps, et nous approchions de plus en plus de leur camp lorsque le bus a soudain bifurqué.

Le camp dans lequel on nous a emmenées était un ancien hôpital où ils nous ont attribué — à Nahda, Nasrine, les filles de Nahda et moi — une chambre au rez-de-chaussée. L'équipe médicale est passée pour vérifier que nous n'avions pas de poux, pour vacciner les enfants et pour faire des prises de sang. Lorsqu'ils m'ont posé la seringue, mon sang n'a pas coulé. L'infirmière a expliqué que j'étais déshydratée car je n'avais quasiment rien mangé ni bu du voyage, et elle m'a incitée à m'alimenter. Mais la nourriture était infecte et, comme à mon habitude, je ne touchais à rien. Dans le meilleur des cas je suis difficile, et Nasrine se fâche tout rouge parce que je ne prends rien d'autre que du thé. Si elle modifie un seul ingrédient dans un plat que j'aime bien, je m'en rends compte immédiatement et je refuse de manger.

Le premier matin, Nasrine est partie me chercher un petit déjeuner. A son retour, elle avait l'air stupéfaite. Un autre de nos cousins du nom de Mohammed était dans la file d'attente — la dernière fois que nous l'avions vu, c'était à Manbij.

Après tous les aléas de notre voyage, j'avais fini par prendre l'habitude d'être dans un camp, entourée de tas de personnes. N'empêche que je m'ennuyais, parce que la plupart du temps je ne quittais pas la chambre. Il y avait bien une petite cour, dont Nasrine me faisait faire le tour pour prendre l'air, et une leçon d'allemand chaque jour à 14 heures, mais ils enseignaient seulement les bases telles que les chiffres, les jours et les mois, or je les avais déjà appris.

En définitive, nous avons passé vingt jours à Essen, à redouter la destination suivante. La rumeur courait qu'il manquait de place pour les réfugiés et nous avions peur de nous retrouver à dormir dans une salle de sport. J'ai joué la carte du handicap pour demander à parler au responsable du camp, à qui j'ai expliqué que je ne pouvais pas vivre dans un stade et que de toute façon nous voulions aller à Wesseling près de Cologne car notre frère s'y trouvait et pouvait nous aider.

Le 28 septembre, au bout de quatre jours sur place, je me suis sentie vraiment déprimée. Je pensais qu'en arrivant en Allemagne j'irais à l'école, et voilà que j'étais coincée dans un camp. Ce matin-là, Nasrine et Nahda étaient allées à une distribution de vêtements et m'avaient laissée surveiller les enfants. Elles étaient très désobéissantes et, comme je n'avais que ma voix pour me faire respecter, j'ai fini par leur crier dessus. J'ai alors senti à quel point j'étais faible et inutile, et j'ai éclaté en sanglots.

Puis Nasrine est arrivée, son téléphone à la main, en m'annonçant qu'elle avait une surprise pour moi.

— Qu'est-ce que c'est ? Massoud Barzani[9] veut me parler ? ai-je plaisanté.

— Non. Regarde.

Elle a ouvert un lien pour me montrer une vidéo. C'était une émission de télé américaine intitulée *Last Week Tonight*, présentée par un Britannique du nom de John Oliver, et il était question des réfugiés. Le Wi-Fi du camp était très lent à cause du nombre de réfugiés qui l'utilisaient, et la vidéo n'arrêtait pas de caler. Au bout d'un moment, l'émission me montrait en train de parler à Fergal Keane, le reporter de la BBC, et de lui raconter que je voulais être astronaute et rencontrer la reine. J'ai failli en lâcher le téléphone.

John Oliver expliquait que j'avais appris l'anglais avec *Des jours et des vies* et que j'étais triste qu'ils aient tué EJ. « Comment peut-on ne pas vouloir de cette fille dans son pays ? s'interrogeait-il. Elle enrichirait n'importe quel pays qui voudrait bien l'accepter. »[10] Je n'arrivais pas à croire qu'il était en train de parler de moi. Mais ça ne s'arrêtait pas là. Il continuait sur la situation terrible des réfugiés, la manière dont le Premier ministre britannique, David Cameron, nous avait qualifiés d'« essaim », sur le Danemark qui avait publié des annonces dans des journaux libanais disant « Ne venez pas », et sur l'hostilité des Hongrois, y compris la cameraman qui avait fait des croche-pieds.

Après quoi il annonçait qu'ils avaient une surprise pour une réfugiée en particulier. L'image montrait la main d'un homme appuyant sur une sonnette. A l'intérieur,

Sami (de *Des jours et des vies*) allait ouvrir : et l'homme sur le perron était EJ ! « C'est impossible ! » s'écriait-elle. Moi aussi, j'ai crié. Après quoi ils se sont embrassés, bien évidemment. EJ expliquait alors qu'après le coup de feu sa sœur l'avait sauvé de la morgue et l'avait transporté en Allemagne où des sorciers avaient fait de la magie pour le ressusciter.

« Je n'imagine pas à quel point cela a dû être terrible pour toi », commentait Sami. « Revenir d'entre les morts n'est pas difficile, répliquait-il. Tu sais ce qui est difficile ? D'aller de la Syrie à l'Allemagne. »

Et il se mettait à parler un peu de la crise des migrants. Puis il disait qu'il avait lu un article sur « cette incroyable jeune fille de seize ans originaire de Kobané du nom de Nujeen Mustafa ».

Et il répétait « Nujeen Mustafa », comme si c'était une chose extraordinaire.

J'étais soufflée. Je me suis mise à pousser des cris. Les personnages adorés de mon soap préféré tout là-bas en Amérique parlaient de moi. Ils avaient ramené quelqu'un d'entre les morts pour une réfugiée syrienne ! Et en plus je ne m'attendais pas à les voir de nouveau amoureux.

Peu de temps après, j'ai reçu un appel d'une dame en Amérique qui me demandait si j'avais aimé la vidéo. Bien sûr, ai-je dit. Ce à quoi elle m'a répondu que les acteurs Alison Sweeney et James Scott — qui jouaient Sami et EJ — souhaitaient me parler. Quand ils sont venus au téléphone j'étais tellement surexcitée que je n'ai pas su quoi dire. Je leur ai raconté que la première chose que j'avais recherchée sur Google en Turquie était leurs noms et que je savais qu'Alison était mariée et avait deux enfants. J'ai ajouté que, sans eux, le feuilleton était fade. Je devais avoir l'air d'une fan stupide.

Nasrine était sous le choc. « Ça fait trois ans que tu nous bassines avec eux et ce soap américain, et voilà qu'ils te courent après. Mais comment ont-ils fait pour te trouver ? »

Le lendemain, j'ai de nouveau regardé l'émission, puis j'ai filmé un petit message vidéo depuis ma chambre et je l'ai posté sur YouTube. « C'est mon jour de chance. Et en ce jour de chance j'ai quelque chose à dire aux victimes des guerres dans le monde. Vous êtes plus fortes et courageuses que vous ne le pensez. Et merci à toutes les personnes qui m'ont soutenue pendant mon voyage. Souhaitez-moi bonne chance, et bonne chance à vous ! »

Pourtant, je me suis réveillée le lendemain avec le sentiment qu'on m'avait volé quelque chose. Jusqu'ici *Des jours et des vies* m'appartenait, c'était mon jardin secret. Et en plus l'extrait vidéo n'était pas réaliste — EJ et Sami auraient dû se disputer. J'aurais préféré voir ça, plutôt qu'ils parlent de moi.

PARTIE III

Une vie normale

Allemagne, 2015-

« Après tout, demain est un autre jour »

Scarlett O'Hara,
dans *Autant en emporte le vent*
de Margaret Mitchell

18

Étrangers en terre étrangère

Personne n'abandonne sa maison sans raison. Parfois je me réveille au milieu de la nuit en plein cauchemar de bombardements, je cherche ma mère mais elle n'est pas là, et la tristesse me submerge. Puis, au bout de deux ou trois minutes, je me dis, Nujeen, tu es encore en vie et loin des bombardements, tout va bien. Ici, en Allemagne, je me sens en sécurité. Je peux sortir me promener sans craindre de me retrouver morte le lendemain matin. Il n'y a pas de bombes, pas de tanks, pas d'armée, pas Daesh dans la rue.

Le 1er novembre nous avons emménagé dans notre nouveau chez-nous, situé au rez-de-chaussée d'une maison allemande de deux étages dans un quartier de la petite ville de Wesseling, à 15 kilomètres au sud de Cologne. Le bâtiment est en béton et en briques plutôt qu'en pain d'épices, couleur marron et crème plutôt que rose ou bleu, mais pour moi c'est quand même Disneyland, le genre d'endroit où j'ai toujours rêvé d'habiter.

Nous avons un salon, un petit coin douche, une cuisine et à peine deux chambres, ce qui est juste pour nous trois et les quatre enfants, surtout que Bland reste souvent à dormir. Mais c'est à nous — et rien qu'à nous. Nous avons un canapé et une table, une horloge murale et une boîte de biscuits de Noël qu'on nous a offerte en décoration. J'aimerais que nous ayons quelque chose de Syrie — une autre réfugiée nous a raconté qu'elle avait traversé toute l'Europe avec ses moules à falafel. Nous n'avons même pas de photo de la famille à Alep — si nous avions su en partant il y a quatre ans que nous allions être séparés et ne jamais rentrer, nous en aurions emporté une mais, à l'époque, nous étions essentiellement préoccupés par notre survie.

La maison est fournie par l'Etat allemand, qui paie également les factures. Il nous donne 325 euros par mois pour les adultes et 180 euros pour chaque enfant, et l'argent nous sert pour la nourriture, les vêtements et le transport. Nous ne dépendons plus de Mustafa.

C'est notre deuxième maison à Cologne. Lorsque nous avons quitté le camp d'Essen la première fois, le 15 octobre, c'était pour un ensemble résidentiel pour réfugiés. L'appartement était au premier étage sans ascenseur, ce qui n'était pas très pratique pour moi, et nous partagions l'endroit avec une famille algérienne — une veuve, sa fille et son enfant. Nous avions deux chambres et elles avaient deux chambres aussi, mais la salle de bains et la cuisine étaient communes. On nous avait donné à chacune un matelas, une couverture, un fait-tout, une assiette, un couteau, une fourchette et une cuiller. Le chauffage au charbon ne fonctionnait pas bien ; il faisait très froid et ça aggravait mon asthme.

Mais le plus gros problème était que le mari de la femme, qui était syrien, venait tout juste de mourir et que les proches algériens étaient arrivés en nombre depuis la France pour l'enterrement. Six adultes et quatre enfants logeaient à la maison et chaque jour il fallait nourrir un flot de visiteurs. C'était la folie, et la cuisine était impraticable. On a dû demander à Bland de nous apporter de quoi manger.

Au bout d'une semaine nous sommes allées voir les services sociaux pour leur dire qu'on ne pouvait pas rester là. Ils ont fini par nous trouver cette maison dans un quartier résidentiel où vivent des familles allemandes. Nous ne connaissons pas nos voisins. A nos yeux, les rapports en Allemagne sont froids — les gens ne se rendent pas visite comme on le fait au pays, ils n'apprécient pas les liens familiaux comme nous. J'avais vu dans des films comment les enfants laissaient leurs parents derrière eux, donc je le savais, mais le voir en vrai était très étrange pour nous.

L'Allemagne est très insolite. Les gens sont comme des machines — ils se lèvent à une heure précise, mangent à une heure précise et se mettent à stresser dès qu'un train a deux minutes de retard. On rit de leur discipline tout en appréciant leur correction ; pas comme en Syrie où l'obtention d'un bon poste dépend des accointances que l'on a avec les hauts fonctionnaires du régime. Ici, tout le monde paie ses impôts, tout est impeccablement propre et tout le monde donne l'impression de travailler dur — raison pour laquelle l'Allemagne produit tant.

Bland aime même le temps qu'il fait, notamment quand il pleut. J'aime qu'il y ait des saisons, les couleurs changeantes des feuilles et les différents nuages. De temps à autre, les étoiles que nous contemplions depuis le toit à Manbij me manquent. Nous aimons tous par-dessus tout le fait que nous soyons en sécurité. Le plus gros obstacle est la langue. Nahda trouve difficile, à trente-quatre ans, d'apprendre une nouvelle langue. Elle est triste que son

diplôme en droit — décroché de haute lutte puisqu'elle a
été la première femme de la famille à étudier à l'université
— soit à présent inutile, mais elle est heureuse que ses
enfants puissent aller à l'école sans crainte.

Le pain pita me manque, et je continue à trouver
bizarre que tout le monde mange avec une fourchette et
un couteau à la place des doigts. La simplicité de la vie
en Syrie me manque — ici, rien ne m'est familier et j'ai
toujours peur que certains de mes comportements ne
fassent mauvaise impression alors que c'est normal dans
mon pays.

Un seul nuage noir plane sur notre nouvelle maison :
les voisins du dessus ne nous aiment pas. Ce couple
d'Allemands d'âge moyen, qui a un fils adulte, s'est plaint
de nous auprès des services sociaux dès que nous sommes
arrivées : pourquoi y a-t-il des réfugiées en dessous de
chez nous ? Un jour, alors que les enfants de Nahda
s'amusaient, la femme est sortie en hurlant comme les
méchants dans les films, et elle a appelé la police. On
a eu peur d'être déplacées, alors on fait attention à être
très discrètes et à empêcher les enfants de faire du bruit
pour qu'elle n'aille pas se plaindre. Malgré ça, elle nous
crie beaucoup dessus.

Nous étions effarées que quelqu'un puisse avoir un
problème avec nous — un groupe de jeunes femmes et
d'enfants sans histoires —, surtout qu'avec mes sœurs tout
est d'une propreté immaculée. On porte des jeans et des
chemises, pas des espèces de *hijabs* de Daesh. J'imagine
que cette femme a un problème avec les réfugiés, pas avec
nous en particulier. Je n'avais pas vraiment réfléchi à ce
que cela voulait dire d'être « réfugiée » : nous n'avons

aucun droit, les gens sont parfois décontenancés et nous regardent comme des extraterrestres ou des individus sans vie qui s'entretuent, sans se rendre compte que nous sommes comme eux. On se lève le matin, on se lave les dents et on va à l'école ou au travail.

Nous venions tout juste de quitter le camp lorsqu'il y a eu des nouvelles consternantes. Le samedi 17 octobre, une femme politique du nom de Henriette Reker, candidate à la mairie de Cologne, s'était fait poignarder pendant sa campagne. Elle était en train de distribuer des roses sur un marché quand un homme lui avait planté une lame de trente centimètres dans le cou, sectionnant sa trachée, la laissant se vider de son sang sur le sol.

L'homme était un factotum sans emploi de quarante-quatre ans du nom de Frank S., qui était en colère contre l'immigration. A la tête des services des réfugiés à Cologne depuis cinq ans, *Frau* Reker apportait son soutien aux migrants, réclamant leur intégration sociale alors que nous étions de plus en plus nombreux à arriver dans la ville — dix mille au cours de l'année écoulée et deux à trois cents de plus chaque jour par le train. Son agresseur a crié quelque chose comme : « Ça t'apprendra ! » tandis qu'elle s'effondrait sur le sol. Puis il avait tailladé quatre membres de son équipe en hurlant : « Les étrangers nous prennent nos emplois. »

Nous étions horrifiées qu'une dame comme elle puisse se faire attaquer pour s'être battue en faveur des réfugiés — s'en prendre ainsi aux politiques ressemblait plus au genre de chose qui se passait dans notre pays. Cette nuit-là, nous avons prié pour elle. *Frau* Reker était à l'hôpital dans le coma quand l'élection a eu lieu le lendemain. Elle l'a remportée avec plus de 52 % des votes. Dieu merci, elle s'est remise et a pu devenir la première femme bourgmestre de Cologne.

Quant à Frank S., il est apparu qu'il était impliqué de longue date dans des mouvements néonazis et qu'il avait déjà passé trois années en prison pour agression. Il avait même participé à une manifestation en l'honneur de Rudolf Hess, l'adjoint d'Hitler qui s'est suicidé en prison en 1987.

Heureusement, la plupart des Allemands ne sont pas comme ça. Au contraire, ils sont très accueillants, comme s'ils voulaient se racheter de la Seconde Guerre mondiale. Un jour, nous sommes parties en excursion en bus à la ville voisine de Brühl pour voir le grand palais jaune avec ses jardins d'agrément, toutes ses fontaines et son lac. Quand nous avons fait le tour du lac, les gens nous ont souri, et même les canards semblaient nous souhaiter la bienvenue. A Noël deux personnes ont frappé à notre porte pour offrir des tas de cadeaux à chacune des filles, moi y compris. J'étais contente d'être encore considérée comme une enfant. Et un autre jour, Nasrine et moi rentrions d'un rendez-vous chez le médecin quand nous avons croisé un voisin dans la rue. Il lui a tendu un sac — il était plein de chocolats.

Moins d'une quinzaine après notre emménagement, Shiar nous a rendu visite et nous avons regardé le foot sur son ordinateur portable, exactement comme avant. La rencontre opposait la France à l'Allemagne, à Paris, et nous étions pour l'Allemagne — notre nouveau pays contre notre ancien occupant — mais malheureusement ils ont perdu 2-0. On était en pleine discussion après le match lorsqu'on a soudain remarqué que tous les spectateurs se rassemblaient sur le terrain. Au début, on pensait qu'ils fêtaient la victoire. Puis on a écouté les commentaires : il y avait eu une attaque terroriste (trois auteurs d'un attentat-suicide s'étaient fait sauter devant le stade), et la police contenait tout le monde à l'intérieur. Les footballeurs ont même fini par passer la nuit sur place.

Puis on a entendu qu'il y avait des fusillades dans des bars et des restaurants parisiens où des gens passaient la soirée, et à l'intérieur d'une salle de spectacles appelée le Bataclan où une foule de jeunes gens assistaient au concert d'un groupe américain de *heavy metal*. Au total cette nuit-là, cent trente personnes ont été tuées.

Peu de temps après, Daesh a publié une déclaration revendiquant la série d'attentats : « Et la France et ceux qui suivent sa voie doivent savoir qu'ils restent à les (*sic*) principales cibles de l'Etat islamique et qu'ils continueront à sentir l'odeur de la mort pour avoir pris la tête de la croisade, avoir osé insulter notre Prophète, s'être vantés de combattre l'Islâm en France et frapper les musulmans en terre du Califat avec leurs avions. »

« Cette attaque n'est que le début de la tempête », avertissait le communiqué.

Nous étions tous bouleversés. Bien entendu, nous n'étions jamais allés à Paris, mais tout le monde sait qu'il s'agit de la Ville lumière. « Le monde est devenu fou, a commenté Nasrine. C'est très triste qu'une des plus belles villes du monde soit transformée en funérailles. Quel genre de personnes pense que sous prétexte que des gens meurent en Syrie il faut en tuer d'autres à Paris ? »

Bientôt un lien a été établi entre les attaques et la crise des réfugiés après qu'un passeport syrien a été retrouvé à côté d'un des auteurs de l'attentat-suicide du stade de foot. Il était au nom de Ahmad al-Mohammad, vingt-cinq ans,

originaire d'Idleb, et les autorités grecques affirmaient que
ses empreintes digitales correspondaient à un jeu prélevé
en octobre lorsqu'une personne détentrice de ce passeport
était entrée sur l'île grecque de Leros depuis la Turquie.
Comme nous, l'homme était ensuite passé en Serbie,
où les autorités avaient pris ses empreintes, qui collaient
avec celles prises en Grèce. D'après un responsable de la
sécurité serbe, le jour suivant il entrait en Croatie.

Le Premier ministre français a déclaré : « Ces individus
ont profité de la crise des réfugiés, notamment au moment
de ce chaos, peut-être, pour certains d'entre eux, se glisser »
en France. Un autre des auteurs de l'attentat-suicide,
Najim Laachraoui, avait combattu avec Daesh en Syrie
et s'était rendu au début du mois de septembre, caché au
sein des réfugiés, à Budapest, où un autre terroriste était
passé le chercher.

C'était terrible de penser que des gens qui voyageaient
parmi nous, à travers les champs de tournesols, dans les
bus et les trains, avaient pu être des terroristes. Même si,
comme le soulignait Bland, c'était bizarre de se munir de
son passeport avant de se faire sauter, sachant aussi qu'on
avait vu des tas de passeurs vendre des faux passeports
tout au long de notre voyage.

Notre crainte était que les gens associent les réfugiés à
des terroristes et qu'ils aient peur de nous. Nous-mêmes
fuyons le terrorisme, nous sommes seulement en quête
de sécurité, justement parce que ce genre d'attentats se
produit dans notre pays. Nous ne voulons faire de mal
à personne.

Des manifestations contre les migrants ont suivi
cette vague d'attentats. L'Allemagne a commencé à
vérifier les demandes d'asile des Syriens au lieu de les
accepter globalement comme elle l'avait fait pendant

toute l'année. Ce n'était pas une bonne chose pour nous car nous attendions de passer nos entretiens. Certaines personnes ont même incendié des centres d'accueil pour les réfugiés — plus de huit cents ont été attaqués en 2015. Mais, en règle générale, les Allemands restaient ouverts et accueillants, tels qu'ils étaient depuis notre arrivée. Peut-être est-ce plus simple pour moi du fait que je suis en fauteuil roulant et que j'ai l'air inoffensive.

Quand j'ai entendu parler des attentats de Paris, j'ai été soulagée que nous n'ayons pas de télé. Il se passe à travers le monde tout un tas de choses terribles que je ne tiens pas à regarder. C'est un autre des « principes de Nujeen » : si vous voulez rester heureux et en bonne santé, évitez de regarder les informations.

19

Enfin écolière

Cologne, 30 novembre 2015

Je suis allée pour la toute première fois à l'école à un mois de mon dix-septième anniversaire. J'étais heureuse, malgré ma nervosité, car je pouvais enfin dire que je faisais quelque chose de normal dans ma vie. Bien entendu, la réalité était loin d'être à l'image de mes rêves, dans lesquels je me voyais en écolière de film américain, marchant d'un pas alerte, mes livres sous le bras, les cheveux au vent, en train de deviser avec mes amies de films et d'amoureux.

Dans ces rêves, après l'école on allait dans un bar à glaces et je demandais à mes amies si elles connaissaient l'histoire du Pharaon et du Sphinx. Comme elles me répondaient non, je leur racontais comment le prince égyptien Thoutmosis, parti chasser la gazelle dans le désert près des pyramides, s'était assoupi à l'ombre du Sphinx. Pendant son sommeil, le Sphinx lui était apparu et lui avait adressé ces mots : « Si tu dégages tout le sable qui recouvre mon corps, tu deviendras roi. » Lui ayant obéi, il était devenu pharaon Thoutmosis à la place de ses frères, et à ce jour toute l'histoire est encore gravée sur une stèle de granit rose entre les pattes du Sphinx. Dans mes rêves, je suis l'intello de service. En tout cas, c'est ce que j'imagine. Et puis je baisse les yeux, constate que je suis entourée de roues et je reviens à la réalité. Oui, je suis en fauteuil roulant, et mon école est un établissement spécialisé — rien à voir avec *High School Musical.*

Un car scolaire passe me prendre chaque matin à 7 heures pour m'emmener à la LVR-Christophorusschule à Bonn, qui est ouverte de 8 heures à 15 h 30. L'école est un grand bâtiment couleur crème de deux étages avec des panneaux verts sur le devant et une terrasse sur le toit en béton, et quand on entre, au lieu de trouver des vélos et des scooters, il y a des tas de chaises roulantes et de déambulateurs. Et aussi deux baby-foot auxquels j'aimerais jouer un jour.

Je suis dans une classe de dix élèves de quinze ans, ce qui fait de moi la plus âgée et me donne l'impression d'être une vieille femme. Pour la plupart mes camarades sont allemands, mais une fille est née en Amérique, un garçon a un père américain et une mère anglaise, et un autre est jordanien. Tous sont « spéciaux » à leur manière : certains n'ont pas de problème physique mais sont autistes, deux d'entre eux ne parlent pas et communiquent avec des iPad comme Stephen Hawking — même s'ils ne sont pas aussi intelligents ! Une autre appuie sur des boutons rouge et jaune pour déclencher des messages enregistrés qui indiquent ce qu'elle veut.

Le jour de la rentrée a été dur parce que, bien évidemment, je ne parlais quasiment pas un mot d'allemand. Heureusement, le premier cours auquel on m'a emmenée était une leçon d'anglais, et je me suis débrouillée comme une cheffe. Puis on a cuisiné une tourte et une espèce de biscuit, ce qui était étrange pour moi qui n'avais jamais cuisiné. Je ne suis pas très douée avec mes mains, et j'en ai mis partout.

Trois professeurs se partagent notre classe, nous enseignant l'allemand, les maths, l'histoire, l'anglais et les sciences. Au départ, j'avais énormément de difficultés. En maths, je n'arrivais pas à faire tenir mon travail sur les lignes de mon cahier et je n'avais jamais abordé des exercices tels que les multiplications. Ce qui étonnait les professeurs et les autres élèves, mais j'apprends vite et je me concentre sur la seule chose pour laquelle je suis forte : j'écoute, j'écoute et j'écoute encore. Quand je n'arrive pas à faire quelque chose et que je perds patience, je me rassure en me disant qu'un grand nombre de personnes célèbres sont des réfugiés : Albert Einstein, Madeleine Albright, Gloria Estefan, George Soros. Même Steve Jobs était fils de réfugié syrien.

Il y a des cours de sport, par exemple la natation, auxquels je ne participe pas, et la pause-déjeuner. Evidemment, je n'aime pas la nourriture de l'école, alors Nasrine se lève à 6 heures pour me préparer une thermos de thé et un sandwich. Les professeurs se plaignent que je reste dans mon coin, mais j'ai envie de consacrer tout mon temps à l'étude et, comme je leur explique, je ne suis pas quelqu'un de très sociable. Je suis restée toute ma vie dans un cercle dans lequel je me sentais à l'aise, entourée d'adultes. Ce n'est pas que je n'aime pas les autres enfants. Il y a une fille adorable, Lily, et d'autres que j'aime bien, Carmen et Amber. Mais leurs centres d'intérêt sont différents — les autres parlent de Justin Bieber et de films comme *La Reine des neiges*, rien à voir avec *Autant en emporte le vent*.

J'aime les cours de biologie parce que j'apprends tout sur le corps, au cas où je tombe malade et doive consulter un médecin. Et, bien entendu, les cours de physique puisque je veux être astronaute, même si après le premier cours je me suis mise à pleurer une fois rentrée à la maison parce que ça ne ressemblait vraiment pas à des notions de physique pour quelqu'un qui se destine à être une grande scientifique. Au lieu d'apprendre des choses sur l'espace et la gravité, on a fabriqué un sapin de Noël sur une planche en bois. Pire encore, comme je n'ai pas de force dans les bras et ai des doigts maladroits, je n'arrivais pas à tenir la planche pour visser l'arbre. Le résultat était calamiteux et quand je l'ai ramené à la maison, les filles de Nahda l'ont brisé en morceaux.

L'objectif de cette école est de nous former à être aussi autonomes que possible, et quand nous en sortons à dix-huit ans, nous suivons ce qu'ils appellent une « formation professionnelle ». En Syrie il n'y a aucun établissement de ce genre et je sais que j'ai énormément de chance — même en Allemagne, certaines personnes pensent que les écoles spéciales comme celle-là coûtent trop cher et que les personnes handicapées devraient aller à l'école avec tout le monde. Peut-être que ce sera mon cas, un jour. Je sais qu'en Syrie je n'ai pas affronté mon handicap parce que je ne sortais pas de façon à éviter le regard des gens. Ici, les professeurs pensent que je devrais faire preuve de réalisme, m'accepter telle que je suis et aller de l'avant, en apprenant à manger seule et à manœuvrer mon fauteuil au lieu de parler sans cesse de devenir astronaute ou de marcher. Mais je n'arrive pas à me sortir de la tête l'image de Nasrine assise dans mon fauteuil roulant un jour où nous étions dans un parc en Turquie, et à quel point j'avais trouvé ça laid.

Et après le feuilleton qu'est devenue ma vie, je suis persuadée que tout est possible.

* *
*

A l'école je consulte une kinésithérapeute qui est très gentille, mais qui était abasourdie que je n'aie fait aucun exercice pendant tant d'années. Je lui ai expliqué mon asthme, la révolution, et la guerre qui a tout arrêté. Elle me fait faire des étirements sur un matelas pour gagner en souplesse et des exercices sur une sorte de vélo pour renforcer mes muscles. Je sens déjà la différence.

Juste après avoir commencé à l'école je suis allée dans un hôpital à Bonn pour passer des examens cliniques. C'est à cette occasion que j'ai appris l'appellation correcte de ce qui ne va pas chez moi : la spasticité. La mauvaise nouvelle, c'est que le docteur m'a expliqué que ça ne partirait jamais et que j'allais devoir apprendre à vivre avec. Il m'a annoncé que j'allais subir une autre opération et m'a prescrit des comprimés spéciaux pour diminuer l'hyperactivité de mes jambes : ces comprimés arrêtent la décharge entre mon cerveau et les nerfs, qui fait que tout se raidit et que mes jambes partent en l'air. J'ai de la chance car je n'ai que le stade 1. Si j'avais le stade 2, 3 ou 4, comme certains enfants de mon école, je ne pourrais pas tenir de stylo.

L'école m'a également envoyée chez un ophtalmologue et un dentiste. « Il y a du travail ! » les ai-je prévenus.

Un jour qu'elle me rendait visite à l'école, Nasrine a remarqué que, parmi mes camarades de classe, certains sont beaucoup plus handicapés que moi, et néanmoins bien plus autonomes. Ils peuvent se déplacer tout seuls, aller chercher leurs boissons et leurs repas, sans attendre que leur sœur s'en charge. Donc, j'essaie à présent d'être plus autonome. Pour la première fois je m'habille et me brosse les cheveux toute seule, même si Nasrine continue à se lever tôt pour m'aider à me préparer le matin. Je rêve encore qu'un jour Nasrine se mariera, aura des enfants, que j'irai à l'université et qu'elle m'aidera en physique.

Je ne vois pas qui pourrait avoir envie d'épouser quelqu'un qui ne tient pas debout. Je pense sincèrement que j'ai la capacité d'aimer quelqu'un et je me vois mère, mais j'ai peur de penser à toutes ces choses-là. Dans notre société, ce genre d'amour comme dans les films n'existe pas. C'est ma mère qui devrait arranger mon mariage mais, à chaque fois que j'essaie d'en parler avec elle, Ayee s'exclame immédiatement : « Arrête ! » Peut-être vais-je devenir une vraie Allemande et adopter leurs manières de se marier. Quoi qu'il en soit, pour l'instant je suis trop jeune et j'ai bien d'autres préoccupations.

J'ai l'impression d'être passée à côté de beaucoup de choses. Je commence à peine à aller à l'école. Si je vais à l'université, j'aurai trente ans à la fin de mes études. Mais l'essentiel est que j'ai enfin la vie normale dont je rêvais : je me réveille le matin, je vais à l'école, je fais mes devoirs. J'aimerais seulement qu'Ayee et Yaba puissent venir me voir faire toutes ces choses, qu'ils me voient me lever tôt pour aller à l'école avec mon sac à dos rose et bleu rempli de pochettes rouges.

20

Un nouvel an terrifiant

Cologne, 1er janvier 2016

Aujourd'hui j'ai eu dix-sept ans, mon premier anniversaire dans notre nouveau pays. Nous ne l'avons pas fêté — je n'ai pas fêté mon anniversaire depuis que la guerre a éclaté et que nous avons quitté Alep. Mais j'ai eu droit à une surprise. Un colis est arrivé, porteur d'un cadeau de James, l'acteur qui joue EJ : un collier en argent avec un pendentif en forme de poisson-chèvre, symbole du Capricorne, mon signe astrologique. Nasrine n'en croyait pas ses yeux.

Finalement, la journée a été bonne. Nous n'avons appris que plus tard comment la nuit précédente de la Saint-Sylvestre avait connu des événements terribles. Tout comme notre Newroz au pays, les Allemands accueillent le nouvel an avec des feux d'artifice et des grandes fêtes. A Cologne, ils se rassemblent habituellement autour de la cathédrale. Cette nuit-là, sur la place de la gare, plus de six cents femmes avaient été agressées, pour beaucoup sexuellement. Des bandes d'hommes fortement alcoolisés, « les yeux injectés de sang », s'étaient déchaînés à travers la foule, agressant et violant des jeunes femmes, volant leur argent et leur téléphone. Certaines se sont fait arracher leur petite culotte. D'autres ont essuyé des tirs de pétard qui sont entrés sous leurs vêtements.

La police a tenté d'étouffer ce qui était arrivé, peut-être par peur que cette nouvelle n'exacerbe les tensions, et les reportages ne sont sortis qu'au bout de quelques jours. Ils ont aussitôt entraîné une hystérie collective, parce que le ministre de l'Intérieur de l'État régional, Ralf Jäger, a déclaré que les agresseurs étaient « exclusivement » des personnes « d'origine immigrée ». Les gens étaient sous le choc, et l'opposition a affirmé que c'était ce qui se passait quand on en laissait trop entrer. Une organisation du nom de Pegida (Les Patriotes européens contre l'islamisation de l'Occident) a demandé le départ des réfugiés, en criant « L'Allemagne aux Allemands ! »

Nous ne savions pas quoi penser. Nous ne pouvions pas imaginer les hommes syriens que nous connaissions faire une chose pareille. Comme dit Nasrine : « Le problème est qu'il y a de bons réfugiés et de mauvais réfugiés, de même qu'il y a des personnes bien éduquées qui jugent les gens pour ce qu'ils sont, pas en fonction de leur origine, et des gens mal élevés qui font l'inverse. » Notre culture est différente. Peut-être que certains hommes musulmans, en voyant les filles allemandes légèrement vêtues ou en entendant dire que les femmes tombent enceintes sans être mariées, se font une mauvaise idée du comportement à adopter. Mais les agressions sexuelles sont répréhensibles partout.

Un groupe de réfugiés syriens et pakistanais a été tellement bouleversé par l'événement qu'il a écrit une lettre ouverte à Angela Merkel : « Pour nous, la dignité d'un homme ou d'une femme est intouchable. Il s'agit évidemment de faire respecter la loi du pays. Nous sommes très heureux d'avoir enfin trouvé la sécurité en Allemagne. »[11] En tout cas il n'a pas fallu longtemps pour que des lyncheurs débarquent sur les lieux et s'en prennent aux migrants. Deux Pakistanais ont été violemment battus, ainsi que trois Guinéens et deux Syriens. Puis il y a eu des manifestations où les gens brandissaient des pancartes clamant en anglais : « *Rape Refugees Not Welcome — Stay Away !* »[12]

Il est apparu que d'autres agressions du même type étaient survenues dans la nuit du nouvel an à Hambourg et dans d'autres villes. L'opinion générale était en train de changer. A travers le pays, les incendies criminels se sont multipliés contre les foyers de migrants, et le Conseil central des musulmans d'Allemagne, l'une des plus grandes fédérations du culte en Allemagne, a reçu des appels d'insultes en si grand nombre qu'il a été contraint de couper ses lignes téléphoniques. Le président du Conseil, Aiman Mazyek, a déclaré : « Nous sommes témoins d'une nouvelle dimension de haine […] L'extrême droite voit la confirmation de ses préjugés et l'opportunité de donner libre cours à sa haine à l'encontre des musulmans et des étrangers. »[13]

Nous avions encore plus peur qu'après les attentats de Paris, parce que ces événements avaient lieu ici, où nous vivions. Nous craignions que les attaques et la colère qu'elles avaient suscitée n'aient des conséquences sur le long terme, que l'opposition allemande dise : « Oh Seigneur, qu'avez-vous fait, madame Merkel ? Vous avez fait venir ces plantes bizarres sur notre sol », et qu'elle ait des regrets et change d'avis. Moins de la moitié des Allemands soutenaient sa position, et je ne pense pas que les politiques prennent une quelconque décision sans faire passer les intérêts de leurs concitoyens en premier. C'est la réalité de ce monde et j'aimerais vivre dans un monde meilleur.

Nous avons commencé à avoir peur qu'en cas d'expulsion nous ne sachions pas où prendre la fuite. Les gens deviendront violents, avons-nous pensé, ça va être de pire en pire, il faut être prêtes. Nous nous attendions à beaucoup de manifestations et à des slogans du type « Fermez la porte. »

— Nous devons être les ambassadrices de notre pays et des réfugiés, ai-je dit à Nasrine.

La police de Cologne a arrêté cinquante-huit personnes. Mais, en février, un rapport du procureur général sur place, Ulrich Bremer, précisait que seuls trois des hommes interpellés étaient des réfugiés : deux Syriens et un Irakien. Les autres étaient des immigrants d'Afrique du Nord qui vivaient dans le pays depuis longtemps, et trois étaient allemands.

A présent, il y a des véhicules de la police et du maintien de l'ordre tous les soirs devant la cathédrale pour rappeler cette nuit terrible du nouvel an. Dieu merci, Angela Merkel a continué à résister aux demandes de fermeture des frontières aux migrants. Et les réfugiés ont continué à venir.

Au total 91 700 sont entrés en Allemagne en janvier 2016 — environ 3 000 par jour, moins d'un tiers du maximum atteint quand nous sommes arrivées l'automne précédent, mais quand même plus que ce que les représentants du gouvernement affirment pouvoir gérer. En 2015, l'Allemagne a enregistré 1,1 million de demandes d'asile, plus de cinq fois le chiffre de 2014. Les Syriens représentaient l'effectif le plus important.

L'une de ces demandes venait de ma troisième sœur Nahra, la passionnée de mode, celle qui m'a appris à lire. Elle est arrivée par le même chemin que nous, en traversant la mer avec son mari et leur bébé de sept mois. Elle était partie plus tard et le trajet aurait dû être plus difficile, mais la mer était si calme qu'elle a filmé la traversée avec son téléphone !

21

A la maison

Cologne, juillet 2016

L'autre jour j'ai rédigé la liste de tous les rois et de toutes les reines d'Angleterre depuis 1066 — j'en ai compté trente-neuf.

Un jour, j'aimerais aller en Angleterre, voir les châteaux et la tour de Londres : il y a là-bas des histoires de jeunes princes emprisonnés qui ont disparu, assassinés peut-être — le genre de choses que ferait Assad. J'aimerais également aller à New York voir l'Empire State Building et à Saint-Pétersbourg pour le palais d'Hiver où les Romanov résidaient et organisaient des bals grandioses.

Plus aucun de ces projets ne me semble impossible. Je viens tout juste de faire ma toute première sortie scolaire. Nous sommes restés deux nuits dans une auberge de jeunesse dans un parc du nom de Panarbora, à une heure de route de Cologne, entourés de forêt et de nature à perte de vue. Bien entendu, il a plu et tout était détrempé.

Pendant la journée, les professeurs nous emmenaient en excursion et nous enseignaient le nom des plantes, des arbres et des oiseaux. Ils nous ont également accompagnés jusqu'au sommet d'une grande tour d'observation au-dessus de la cime des arbres, mais on n'a vu que du brouillard. De retour à l'auberge, on a joué à des jeux, comme le Challenge ! — quand mon tour est arrivé, j'ai affirmé que je pourrais citer dix noms de capitales en une minute et demie tout en buvant du chocolat chaud. Une de mes camarades, qui fait tout très lentement, a dit qu'elle peindrait l'un d'entre nous, et à la fin on devrait deviner de qui il s'agissait — et c'était moi !

Puis nous avons fait la « tournée des compliments » : on s'est installés en demi-cercle et, à tour de rôle, chacun s'est avancé face à tous ses camarades, qui devaient écrire sur une fiche bristol les qualités de cette personne. Dans mon cas, ils ont dit que je parlais bien allemand, que j'étais douée pour les langues, que j'avais un joli sourire et que j'étais drôle et adorable.

J'ai toujours voulu avoir ce genre de souvenirs. Ils sont arrivés tard, mais mieux vaut tard que jamais. J'ai partagé une chambre avec trois autres filles de ma classe. Une seule pouvait marcher, mais j'ai commencé à me rendre compte que cela n'avait aucune importance. C'était la première fois que je dormais quelque part sans que personne ne s'occupe de moi et ce sentiment était agréable. Malgré tout, j'ai failli pleurer pendant la première soirée : il y avait un feu de camp et on nous avait donné du pain allemand spécial à faire griller sur des bâtonnets, mais je ne savais pas comment m'y prendre et je n'arrêtais pas de le carboniser. Je déteste me sentir stupide ou étrangère, et bien évidemment, quand tout le monde a entonné des chansons, je ne connaissais aucune des paroles.

Quand l'autocar du retour m'a déposée à Wesseling, ma famille m'a interrogée : « On ne t'a pas trop manqué ? » Je me suis rendu compte que non, tant j'avais été occupée par la nouveauté. Le plus triste a été la fin du voyage, lorsque les professeurs ont annoncé qu'on rentrait « à la maison ». Je me suis demandé ce que cela voulait dire puisque je ne retournerai jamais dans mon pays.

Bien sûr, je pense constamment à la Syrie. A présent, nous avons une télé et un iPad envoyé par des fans de *Des jours et des vies*, et chaque jour nous regardons les événements qui se déroulent au pays, sur Facebook ou aux informations. Un jour, quelqu'un a mis en ligne un film montrant notre rue George al-Aswad à Alep : tout était détruit — on aurait dit des images de Dresde — sauf notre immeuble qui tenait encore, comme quand mes parents étaient retournés sur place. Parfois, lorsque je regarde encore plus de bombardements, encore plus d'innocents qui prennent la fuite, j'ai l'impression que la guerre se déroule dans une terre lointaine qui n'a rien à voir avec moi.

Si impensable que cela puisse paraître, la situation là-bas s'est aggravée. Peu après notre arrivée en Allemagne, les Russes — qui soutenaient Assad depuis le début — se sont davantage impliqués dans notre guerre, en envoyant leur armée de l'air et en lançant des frappes aériennes, parfois jusqu'à soixante par jour. Ils disaient s'attaquer à Daesh, mais ils semblaient surtout prendre comme cible les rebelles, et les hôpitaux. Pour Assad, ils ont repris Homs, qui ressemble à une ville fantôme, et ils ont chassé Daesh de la cité antique de Palmyre, après quoi ils ont envoyé un orchestre symphonique pour donner un étrange concert de la victoire au milieu des ruines. Désormais la ville est sous contrôle russe.

Assad a lancé une attaque de grande envergure pour reprendre Alep, quitte à la réduire en poussière, et il a coupé toutes les voies d'accès à la ville. Et ce n'est pas tout. Il a largué une telle quantité de bombes barils sur la ville de Daraya près de Damas — le jour qui a suivi la livraison de la première aide alimentaire des Nations unies et de la Croix-Rouge en trois ans — qu'un représentant de l'ONU a décrit la ville comme « la capitale syrienne des bombes barils ».

« Quelque chose va foncièrement mal dans un monde où les attaques contre des hôpitaux et des écoles [...] sont devenues si ordinaires qu'elles cessent de provoquer une quelconque réaction », a déclaré le secrétaire général adjoint aux affaires humanitaires Stephen O'Brien au Conseil de sécurité des Nations unies. « Nous pourrons réellement parler de succès quand ces sièges médiévaux auront pris fin ; quand les garçons ne risqueront plus d'être abattus lorsqu'ils apportent des médicaments à leurs mères ; quand les médecins pourront administrer des traitements vitaux sans avoir à craindre des attaques imminentes ; quand les filles yézidies n'auront plus à s'écorcher le visage par peur d'être achetées et de devenir des esclaves sexuelles. Telle est la réalité sordide de la vie en Syrie aujourd'hui. »[14]

Pourtant, à propos d'Assad, les politiques en Occident ont commencé à songer que « Mieux vaut un mal connu qu'un bien qui reste à connaître », et il semble que le monde a fini par tout bonnement l'accepter après avoir débattu de sa barbarie et des lignes rouges qu'il franchissait. L'Occident donne l'impression de se soucier uniquement de Daesh du fait qu'ils embrigadent des jeunes qui rentrent ensuite chez eux pour lancer des attaques sur des villes occidentales, comme Paris et Bruxelles. Alors l'Occident n'arrête pas de les bombarder en Irak et en Syrie, et les gens disent que Daesh, qui a perdu beaucoup de ses territoires et de ses chefs, se prépare à la fin du califat.

Quant à Manbij, après deux années sous contrôle de Daesh, il paraît que la ville a été globalement reprise par nos combattants kurdes des YPG, avec le concours de certains cheikhs arabes locaux et l'aide de frappes aériennes américaines. Malheureusement, on a entendu dire que certaines frappes avaient tué des dizaines de civils, dont des enfants. Près de quarante-cinq mille personnes ont fui, mais des milliers de personnes sont prises au piège, sans aucune nourriture. Manbij est un point de ravitaillement clé pour Daesh sur la route de leur capitale, Rakka, et la perte de la ville serait catastrophique. Les YPG, soit dit en passant, avec l'aide des USA, sont à l'origine d'importantes avancées territoriales sur Daesh dans le nord de la Syrie, ce qui nous donne bon espoir d'obtenir notre Kurdistan. Mais les gens sont inquiets parce que le président Erdoğan a envoyé ses avions militaires turcs sur des cibles de l'autre côté de la frontière. « Manbij n'appartient pas aux Kurdes ; c'est un endroit où vivent des Arabes, a-t-il dit. Si nécessaire nous prendrons les choses en main. »

Nous parlons tous les jours sur Skype avec mes parents à Gaziantep. Yaba est triste. « Je pense que mon pays est perdu, dit-il. Partout des combats. J'ai abandonné mes champs, et mes enfants ne prient pas. » Il se plaint toujours qu'on ne prie pas, ce qui n'est pas vrai. Je suis plus croyante que je n'en ai l'air et j'ai grandi dans un pays où les croyances religieuses sont très strictes. Toutes mes sœurs jeûnent pour le ramadan. Il y a pourtant une chose que je ne lui ai pas racontée. Parfois l'école nous emmène à l'église. Là-bas, j'aime écouter la musique, c'est impressionnant, mais je ne chante pas avec les autres pour éviter de prononcer par erreur un verset de la Bible.

Dans l'islam, tout a des conséquences. Quant à aller à l'église pendant le ramadan : quel paradoxe !

Je prends mes marques à l'école, je parle allemand et je me suis même fait des amis que je vois parfois en rêve à la place des bombardements, même si les professeurs continuent à déplorer mon manque de sociabilité. L'école m'a trouvé un nouveau fauteuil roulant, qui est bleu, ma couleur préférée, et moins large que le précédent dans lequel je m'enfonçais. Surtout, il est beaucoup plus léger et je peux le manœuvrer moi-même, y compris pour monter et descendre les trottoirs, et j'ai même commencé à jouer au basket avec.

A présent Nasrine suit des cours d'allemand chaque après-midi, et je vais peut-être finir par perdre mon boulot de traductrice de la famille. Ça ne me gêne plus vraiment car je me dis que je peux sans doute servir à autre chose.

Maintenant que nous avons un téléviseur à la maison, nous nous retrouvons pour regarder le football comme au bon vieux temps, et on se fait livrer ma pizza préférée. Si Barcelone perd, particulièrement face au Real Madrid, je crie sur Nasrine : « Sors, je ne te parle plus ! » Elle déteste ça mais je suis contente parce que, malgré tout, je reste une adolescente normale qui va se mettre à hurler si Barcelone perd. Cela montre que mon âme n'a pas été anéantie. Nous avons soutenu l'Allemagne, notre nouveau pays, pendant l'Euro, et c'est avec tristesse qu'on les a vus perdre en demi-finale.

Un jour, au zoo de Cologne, nous avons croisé des tas d'animaux que j'avais vus dans des documentaires : des flamants roses ; des girafes sans cordes vocales ; et des piranhas, qui peuvent déchirer la chair d'un humain en quatre-vingt-dix secondes. Un oiseau qui portait une sorte de jupe en plumes de couleur est venu jeter un œil à mon fauteuil roulant, comme si nous étions toutes deux d'étranges créatures. Au zoo nous avons rencontré des Kurdes — entre Kurdes on se reconnaît toujours !

A présent que nous sommes installés, j'ai une longue liste de personnalités que je souhaite étudier : Margaret Thatcher, Steve Jobs, Bill Gates, et Einstein — fou ou génie ? Je voudrais également retourner dans les Alpes autrichiennes dans le château qui renferme le portrait des protagonistes de *La Belle et la Bête* — mon histoire de prédilection quand j'étais enfant. Un jour, à Alep, j'ai regardé un documentaire intitulé *The Real Beauty and the Beast*, à propos de Petrus Gonsalvus, un homme né à Tenerife au XVIe siècle, qui était couvert de poils des pieds à la tête comme un loup. Il souffrait d'une affection rare appelée hypertrichose qui ne touche que les hommes, et dont cinquante cas seulement sont répertoriés sur terre à ce jour. Garçon, Petrus avait été enlevé à sa famille pour être offert au roi Henri II de France, et la reine Catherine de Médicis lui avait fait épouser une femme magnifique qui ignorait tout de son apparence. Mais cette dernière est restée avec lui et ils ont eu sept enfants — elle devait donc aimer sa beauté intérieure. On les a exhibés comme des curiosités lors d'une tournée des cours européennes, et on a peint leurs portraits. Parmi leurs enfants, ceux qui ont hérité de la maladie leur ont été retirés, et donnés à des nobles européens en guise d'animaux de compagnie.

En parlant de curiosités, en juin 2016 j'ai été invitée avec un groupe de réfugiés à me rendre à Berlin pour y rencontrer une dame du nom de Samantha Power, qui est ambassadrice des Etats-Unis aux Nations unies. J'y suis allée en train avec Nasrine et on a ri de voir à quel point l'utilisation de ce moyen de transport nous était devenue évidente. J'avais hâte de voir cette ville célèbre, scindée en deux par un mur jusqu'à l'année de naissance de Jasmine, et où Hitler et Eva Braun s'étaient suicidés dans leur bunker.

Il y avait une douzaine de réfugiés et chacun a raconté son histoire, qui était déchirante, et j'aurais aimé m'épargner ça. Mais chacun a également montré en quoi il tentait d'apporter une contribution positive à son nouveau pays.

Il y avait un docteur du nom de Hamber, qui avait été prisonnier politique à Damas et essayait de se faire accréditer pour pratiquer la médecine en Allemagne. En attendant, il était interprète bénévole pour les réfugiés qui passaient des visites médicales à Berlin.

Il y avait également un jeune homme du nom de Bourak, qui venait d'Alep lui aussi. Il était allé à l'université comme Nasrine, où il avait étudié l'informatique, et bien sûr, pour lui aussi, le conflit avait mis fin à ses études. Il apprenait l'allemand, voulait désespérément retourner à l'université, et avait conçu une application appelée BureauCrazy pour aider les demandeurs d'asile à s'y retrouver dans les méandres du processus et pour mettre les formulaires à disposition dans plusieurs langues.

Les ambassadeurs sont des gens pressés et notre temps de parole était court. Quand mon tour est venu, je lui ai dit : « Nous sommes simplement des gens qui mourons chaque jour dans l'espoir de nous brosser les dents le matin et d'aller à l'école. » Et j'ai ajouté : « Tout le monde veut me parler parce que je souris — c'est donc si rare de trouver des réfugiés souriants ? Je suis une espèce d'extraterrestre ? »

*
* *

Bland, Nasrine et Nahda ont tous obtenu l'asile après s'être rendus dans un tribunal à Düsseldorf pour répondre à des questions, et ils ont un permis de séjour. Moi, j'attends toujours, peut-être parce que je suis mineure. Dans mon cas, au lieu d'aller au tribunal pour un entretien, j'ai eu un rendez-vous avec ma tutrice allemande. Elle m'a posé des questions sur mon voyage et les raisons qui m'avaient poussée à quitter la Syrie, si j'avais vu des choses horribles et si j'avais ou pas des preuves des difficultés que traversait mon pays. Après coup, Nasrine et moi avons ri : elle ne regardait donc jamais les infos ?

Nahda a fait une demande de regroupement familial dans l'espoir que son mari Mustafa les rejoigne. Voilà près d'un an qu'ils se sont dit au revoir sur une plage de Turquie. Nahra a été installée près de Hambourg avec son époux. Elle attend l'asile et nous espérons la voir bientôt. Seule Jamila est encore en Syrie, à Kobané, parce que son mari refuse de partir. Ils ont de nouveau de l'électricité, Daesh est parti, mais la vie est dure et aucune école n'est ouverte pour les enfants.

Je sais que nous avons de la chance. Ma cousine Evelin, qui a traversé l'Europe dans le même groupe que Nahda, est toujours dans un camp construit sur un terrain de basket. Elle raconte qu'elle se fait constamment voler ses affaires — son téléphone, jusqu'à ses vêtements quand elle les étend pour les faire sécher — et qu'elle a inlassablement trois tranches de pain, du beurre et de la confiture au petit déjeuner. Ils font la queue pendant des heures pour retirer de l'argent de poche. Des amis à Berlin nous racontent qu'ils ont peur de sortir à cause de l'hostilité ambiante. Certains songent même à rentrer en Turquie ou en Syrie, mais c'est désormais impossible. Mon frère Mustafa et sa femme, Dozgeen, ont fait une demande pour aller en Amérique par le biais du HCR en Turquie il y a un an ; ils attendent encore leur date d'entretien.

Plus personne n'entreprend le voyage que nous avons fait. Suite au changement d'attitude de l'Allemagne sur l'accueil des réfugiés après les attaques de Cologne, en mars l'Union européenne a signé un accord avec la Turquie pour que, moyennant 6 milliards d'euros, elle ferme ses frontières et ses côtes pour endiguer le flux des migrants. Mustafa dit qu'à présent il y a des fils barbelés partout et des militaires turcs dans des tanks à Jarablus. Un nombre considérable de personnes se sont retrouvées coincées en Grèce quand les frontières ont fermé. Plus de cinquante mille y sont encore, y compris dans les camps de Lesbos. Certains de nos cousins essayaient de passer en Macédoine depuis la ville grecque d'Idoméni lorsque l'Europe avait fermé ses portes.

Pour ceux qui quittent la Syrie, les seules options sont désormais le Liban — qui atteint ses limites avec un cinquième de sa population d'origine syrienne — et la Jordanie — qui compte 1,3 million de réfugiés syriens en plus de ses 6,5 millions d'habitants et a récemment bloqué le passage, abandonnant des milliers de personnes dans le désert à sa frontière. Notre propre voyage nous semble très lointain. Même s'il est le fruit d'une tragédie, je m'en souviens comme de la plus grande aventure de toute ma vie, une histoire à raconter à mes petits-enfants.

Récemment, des fans de *Des jours et des vies* qui avaient entendu parler de moi nous ont apporté des cadeaux magnifiques (des écouteurs bleus et l'iPad) et m'ont emmenée avec Nasrine faire une sortie sur le Rhin. A ma grande surprise, Nasrine pleurait. Elle m'a expliqué qu'elle se remémorait le bateau pour la Grèce. « Tu avais de la chance, a-t-elle observé, ce n'est pas sur toi que pesait la responsabilité du voyage. »

Dans l'Univers, la plus infime particule s'appelle un quark ; c'est ce que j'ai l'impression d'être au milieu de cette énorme masse de migrants. Environ 5 millions de mes compatriotes ont quitté la Syrie depuis le début de la guerre en 2011, et 1,1 million d'entre eux ont fait le voyage comme nous à travers l'Europe. Environ 430 000 sont allés en Allemagne. Un quart du nombre total de réfugiés est constitué d'enfants, âgés comme moi de dix-sept ans ou moins.

Ce n'est pas vraiment une question de choix. Sur ceux qui sont restés en Syrie, plus de 250 000 ont été tués. Certains sont en état de siège depuis si longtemps qu'ils n'ont pas vu la lune depuis deux ans. En Allemagne, on nous appelle « *Flüchtlinge* ». Nasrine dit que ça ressemble à un oiseau, mais je déteste ce mot, tout comme les mots « *refugee* » et « migrant ». Ils sont trop durs.

Récemment a eu lieu le procès de Frank S., l'homme qui a essayé de tuer *Frau* Reker, la maire de Cologne. Il s'est plaint que l'Allemagne avançait vers son « autodestruction » en acceptant autant de réfugiés. « J'ai vu la dernière opportunité de changer quelque chose », a-t-il expliqué à la cour. Après son arrestation, il avait même affirmé à un officier de police qu'il avait eu l'intention de tuer Mme Merkel. Il a été condamné pour tentative de meurtre à quatorze années d'emprisonnement. « Il voulait envoyer un signal au gouvernement fédéral sur la politique envers les réfugiés, a expliqué la juge Barbara Havliza. Il voulait créer un climat de peur, et influencer la politique. »

Puis, la troisième semaine de juillet, alors que l'école était finie et que tout le monde se glissait dans l'ambiance des vacances, l'Allemagne a soudain traversé sept jours de terreur. Ça a commencé un lundi, quand un réfugié de dix-sept ans, d'abord décrit comme un Afghan, puis plus tard comme un Pakistanais, a attaqué à coups de hache les passagers d'un train à Würzburg, blessant quatre voyageurs et une femme qui promenait son chien, avant que la police ne l'abatte.

Quatre jours plus tard, dans un centre commercial de Munich, un Germano-Iranien de dix-huit ans a incité des adolescents à se rendre dans un McDonald's de la ville pour bénéficier de réductions, avant d'ouvrir le feu et de tuer neuf personnes. Deux jours plus tard, deux nouvelles attaques ont éclaté en Bavière. Un Syrien de vingt et un ans a tué à la machette une Polonaise, tandis qu'un autre faisait exploser une bombe dans un sac à dos à l'entrée d'un festival de musique, se tuant sur le coup et blessant quinze personnes.

Trois de ces quatre assaillants étaient des réfugiés, deux d'entre eux étaient syriens. Une fois encore, tous les regards se sont braqués sur les réfugiés. Un homme politique néerlandais a même avancé que l'UE devrait interdire l'entrée à tous les musulmans. « Nous avons importé un monstre, et ce monstre s'appelle islam », a-t-il affirmé.

De tels mots nous font frémir. En réalité, ces agresseurs ignorent tout de l'esprit véritable de l'islam. Mais bien évidemment ces attaques rendent le public méfiant à l'égard des réfugiés. D'une certaine manière, je suis contente qu'ils aient bloqué le passage et que plus personne ne vienne.

Nous nous demandons combien de temps Mme Merkel va pouvoir résister. Jusqu'ici, elle a tenu tête à ceux qui voulaient se débarrasser de nous, mais ces attaques touchent ses concitoyens et, contrairement à chez nous, les hommes et femmes politiques dans les pays tels que l'Allemagne écoutent leur peuple. Plus personne ne va se soucier de nous si nous nuisons à leur pays.

Pauvres Européens, ils vivent ce que nous avons vécu. Le sentiment d'insécurité est une chose terrible. Le moindre claquement, la moindre voix aiguë nous font encore sursauter. Je ne veux pas que mon nouveau pays devienne comme ça lui aussi.

La femme du dessus ne nous parle toujours pas. Mais nous avons fini par comprendre que ce n'était pas uniquement parce que nous sommes des réfugiées. En réalité, la maison dans laquelle nous habitons appartenait à un homme qui avait deux filles. A sa mort, il leur a laissé à chacune la moitié de la maison. Une de ses filles est la voisine du haut, qui veut racheter le rez-de-chaussée à sa sœur pour avoir toute la maison pour elle, mais son beau-frère refuse de vendre et nous loue l'appartement.

Alors voici comment je vois les choses. Oui, je sais qu'on coûte cher. S'occuper des migrants au cours de l'année 2015 a coûté aux contribuables allemands plus de 23 milliards de dollars, d'après l'Institut de recherche économique de Munich. Mais si vous nous donnez une chance, nous pourrons apporter notre contribution. Si vous ne voulez pas laisser entrer des réfugiés pour des raisons humanitaires, qu'en est-il de l'avantage que nous représentons pour l'économie ? Il faut être foncièrement résilient et débrouillard pour se frayer un chemin jusqu'ici, au milieu de tous ces gens qui cherchent à vous voler, vous arnaquer et vous couper la route. La plupart de ceux qui ont fui sont qualifiés ou éduqués. Je sais que je ne suis pas allée à l'école, mais je parle couramment un anglais de feuilleton télévisé.

L'Allemagne, par exemple, a le taux de natalité le plus bas du monde et une population en baisse depuis des années. En 2060, sa population aura diminué de 81 à 67 millions. Pour que son industrie perdure et que le pays reste la plus grande puissance économique d'Europe, l'Allemagne a besoin de main-d'œuvre étrangère. Le pays a déjà donné l'asile à 240 000 Syriens, dont mon frère et mes sœurs — pour ma part je dois encore attendre. Quant à l'Union européenne et ses 500 millions d'habitants, j'en ai déjà parlé : même si elle accueillait l'intégralité des 1,1 million de Syriens qui ont franchi ses frontières, ces derniers ne représenteraient que 0,2 % de la population — soit beaucoup moins que le nombre de réfugiés accueillis après la Seconde Guerre mondiale (à laquelle tout le monde fait constamment référence). Certains pays n'ont accepté qu'un petit nombre de personnes. Le Royaume-Uni n'a admis que 5 465 réfugiés, un quart de l'effectif pris en charge l'année dernière par la ville de Cologne. J'imagine que, contrairement à l'Allemagne, la population du Royaume-Uni est en croissance. Le premier ministre David Cameron a promis d'accueillir 20 000 réfugiés d'ici à l'année 2020, mais il a été contraint de démissionner après avoir perdu un référendum pour lequel les gens ont voté le départ de l'UE en partie parce qu'ils voulaient empêcher les migrants de venir chez eux.

Quand vous apprendrez à nous connaître, vous verrez que nous ne sommes pas si différents. Comme je vous l'ai déjà dit, nous n'avons pas de photo de famille parce que nous n'avions jamais imaginé qu'une telle chose puisse nous arriver.

*
* *

Je voulais aller dans l'espace et trouver des extraterrestres, mais ici j'ai parfois l'impression d'en être une.

Ma chambre du cinquième étage à Alep, à regarder la télé, me manque. Aujourd'hui, j'ai une vraie vie. Parfois j'essaie de la mettre de côté en chaussant mes écouteurs, télé allumée, pour replonger dans le passé. J'ai l'impression que la Nujeen d'avant est en train d'être gommée au profit d'une nouvelle. Mon pays me manque, même la maison avec les chats et les chiens, tout comme me manque notre manière de laisser nos portes ouvertes tout le temps. Le son de l'*adhan* me manque — l'appel à la prière qui s'élevait jusqu'à notre balcon. J'ai entendu dire que certains réfugiés avaient même installé une application pour écouter l'*adhan* sur leur portable. Je me sens coupable d'avoir quitté ma terre natale.

Par-dessus tout, Ayee, Yaba et ma sœur Jamila me manquent, et j'ai peur de ne jamais revoir mes parents parce qu'ils sont vieux. J'ai peur de me retrouver toute seule.

La Syrie ne me manque pas quand je repense à quel point ma vie sur place était difficile ; quand je me remémore à quel point j'avais peur, à quel point nous étions en danger ; je me dis « Dieu merci, nous sommes ici. » Dieu seul sait quand tous ces événements prendront fin, mais la Syrie que nous avons connue n'existera plus jamais. Je me languis du jour où la mort m'apparaîtra à nouveau comme quelque chose d'anormal. Peut-être un jour aurons-nous notre Kurdistan, notre Rojava. A l'instant je regardais une vidéo sur YouTube intitulée *10 Countries That Might Exist in the Future*. Devinez lequel était numéro un ? Le Kurdistan !

Et je me demande : si jamais nous retournons là-bas, nous reconnaîtrons-nous les uns les autres ? J'ai changé, et mon pays a changé.

Mon rêve était d'aller en Allemagne. Je ne serai peut-être jamais astronaute. Je n'apprendrai peut-être jamais à marcher. Mais il y a beaucoup de bonnes choses dans cette société et j'aimerais les mélanger à celles de la mienne pour obtenir le cocktail « Nujeen ».

Je suis fière d'aller à l'école, avec mon nouveau T-shirt jaune qui dit « *Girls Love Unicorns* », avec le pendentif que m'a offert une star de la télé, avec mes rêves. Et maintenant que vous avez lu mon histoire, j'espère que vous verrez que je ne suis pas un nombre et qu'aucun de nous ne l'est.

Mon voyage

Distance totale : 5 701 kilomètres, coût total du déplacement : 5 045 euros (pour ma sœur et moi).

2012

| 27 juillet | D'Alep à Manbij : 90 kilomètres en minibus. |

2014

| août | De Manbij à Jarablus : 38 kilomètres avec la voiture d'oncle Ahmed ; 50 dollars (46 euros) pour traverser la frontière. |
| le même jour | De Jarablus à Gaziantep (Turquie) : 172 kilomètres avec la voiture d'oncle Ahmed. |

Un an plus tard

2015

22 août	De Gaziantep à Izmir : 1 112 kilomètres en avion, 300 euros par personne ; de l'aéroport d'Izmir à la place Basmane : 29 kilomètres en taxi, 15 euros.
1er septembre	D'Izmir à Behram : 251 kilomètres en bus et en taxi, 100 euros.
2 septembre	De Behram à Skala Sikaminias, Lesbos (Grèce) : 12 kilomètres en bateau, 1 500 dollars (1 300 euros) par personne, plus 50 euros par personne pour les gilets de sauvetage.

SYRIE

TURQUIE

3 septembre	De Skala Sikaminias à Mytilène : 48 kilomètres en voiture (avec une bénévole).
9 septembre	De Mytilène à Athènes : taxi du camp Pikpa au ferry, 10 euros ; 347 kilomètres en ferry : 60 euros par personne.
14 septembre	D'Athènes à Thessalonique : 502 kilomètres en ferry et en train : 42 euros par personne ; puis de Thessalonique à Evzoni : 88 kilomètres en taxi, 100 euros.
15 septembre	D'Evzoni à Gevgelija (Macédoine) : 2 kilomètres à pied.

GRÈCE

15 septembre	De Gevgelija à Lojane : 201 kilomètres en taxi, 200 euros ; puis de Lojane à Miratovac (Serbie) : 3 kilomètres à pied (ou en fauteuil roulant).

MACÉDOINE

15 septembre	De Miratovac à Belgrade : 391 kilomètres en bus, 35 euros par personne ; de Belgrade à Horgoš : 200 kilomètres en taxi, 210 euros.
16 septembre	De Horgoš à Röszke : 12 kilomètres en bus, 5 euros par personne ; de Röszke à Apatin : 125 kilomètres en taxi, environ 125 euros.

SERBIE

16 septembre	D'Apatin à travers champs jusqu'en Croatie, puis en fourgon de la police jusqu'à un petit village (nom inconnu) ; de ce petit village à Zagreb : 336 kilomètres en bus.

CROATIE

17 septembre	De Zagreb à Žumberački put : 34 kilomètres en taxi, 100 euros ; puis de Žumberački put à Slovenska Vas (Slovénie) : 1 kilomètre à pied.
17 septembre	De Slovenska Vas à Perišče : 4 kilomètres en fourgon de police.
18 septembre	De Perišče à Postojna : 160 kilomètres en bus.
20 septembre	De Postojna à Logatec : 27 kilomètres en bus ; de Logatec à Maribor : 159 kilomètres en train ; de Maribor à Spielfeld (Autriche) : 22 kilomètres en taxi, 5 euros.
20 septembre	Minuit, de Spielfeld à Graz : 50 kilomètres en bus.
21 septembre	De Graz à Salzbourg : 278 kilomètres en train, 60 euros par personne ; de Salzbourg au pont de Saalach : 8 kilomètres dans le bus de la police ; du pont de Saalach à Rosenheim (Allemagne) : 80 kilomètres en bus.
22 septembre	De Rosenheim à Neumarkt : 220 kilomètres en bus ; de Neumarkt à Nuremberg : 43 kilomètres en taxi, 50 euros ; de Nuremberg à Cologne : 430 kilomètres en train, 115 euros par personne.
23 septembre	De Cologne à Dortmund (centre de réfugiés) : 95 kilomètres en train, 45 euros par personne.
24 septembre	De Dortmund à Essen : 40 kilomètres en bus.
15 octobre	D'Essen à Wesseling : 83 kilomètres en minibus.

SLOVÉNIE

AUTRICHE

ALLEMAGNE

Remerciements

Merci à ma famille d'avoir accepté de tout cœur cet enfant inattendu et d'avoir toujours fait preuve de tant de patience avec moi.

Je remercie Dieu de m'avoir donné tout ce que j'ai et je prie pour que l'histoire de ma vie ait une fin heureuse.

L'année qui vient de s'écouler est un périple que je n'aurais jamais imaginé depuis notre cinquième étage à Alep. Je suis passée de la fille qui ne quittait jamais sa chambre et ne voyait le monde qu'à travers la télé à la traversée de tout un continent, tous moyens de transport confondus — il ne manque plus que le téléphérique, le sous-marin et bien entendu la navette spatiale !

Je ne suis qu'une réfugiée parmi des millions, dont beaucoup sont comme moi des enfants, et mon voyage a été plus facile que pour la plupart d'entre eux. Mais il n'aurait pas été possible sans la générosité des gens qui ont aidé en chemin, des vieilles dames et pêcheurs de la plage de Lesbos aux bénévoles et travailleurs humanitaires qui nous ont donné de l'eau et ont aidé à me pousser.

Je ne pourrai jamais assez témoigner toute ma gratitude envers Mme Merkel et l'Allemagne pour m'avoir donné un toit et ma toute première expérience de l'école. Là, mes enseignantes Ingo Schrot, Andrea Becker, Stefanie Vree ainsi que ma physiothérapeute Bogena Schmilewski m'ont énormément aidée. Merci à mon tuteur allemand, Ulrike Mehren, de m'avoir guidée.

Merci aussi à tous les scénaristes de *Des jours et des vies* qui ne se doutaient pas qu'ils offraient ses études à une petite fille d'Alep. Et tout particulièrement à Melissa Salmons, qui a travaillé sur le script d'EJ et Sami — et pour la gentillesse de ses merveilleux fans, notamment Giselle Rheindorf Hale.

Je suis extrêmement reconnaissante envers Christina, qui a mis des mots sur mon histoire, et envers sa famille, Paulo et Lourenço, pour leur soutien (même s'ils aiment Cristiano Ronaldo, et d'ailleurs félicitations au Portugal pour la victoire à l'Euro, dommage que ça n'ait pas été l'Espagne !)

Merci à Fergal Keane de nous avoir présentées ! Christina souhaiterait remercier toutes les personnes qui l'ont aidée à rendre compte de la crise des réfugiés, en particulier Babar Baloch du HCR, Alison Criado-Perez de MSF ainsi que la famille Catrambone. Nous souhaiterions également remercier Hassan Kandoni. Merci aussi à notre agent David Godwin, à notre fabuleuse éditrice Arabella Pike et à ses collègues Joe Zigmond et Essie Cousins, au fantastique préparateur de copie Peter James, au graphiste Julian Humphries et à Matt Clacher et Laura Brooke qui ont tant soutenu ce livre.

Et, par-dessus tout, merci à ma sœur Nasrine qui m'a poussée à travers l'Europe et qui a supporté tous les renseignements que je donnais en chemin, même si elle n'écoutait pas toujours.

Notes

Toutes les notes sont de la traductrice.

1. « Je m'en remets à la sagesse de Dieu.
   Les Kurdes, dans l'état du monde,
   Pour quelle raison restent-ils privés (de leur droit) ?
   Bref, pourquoi sont-ils opprimés ?
   Par leur caractère de lions, ils ont (pourtant) conquis
   La cité de la renommée,
   Occupé les contrées de la gloire.
   Chacun de leurs princes est un Hatem
   Chacun de leurs princes est, au combat, un Roustem.
   Vois, depuis les Arabes jusqu'aux Géorgiens,
   Tout est kurde et, comme une citadelle,
   Ces Turcs, ces Persans les assiègent
   Des quatre côtés à la fois.
   Et les deux camps font du peuple kurde
   Une cible pour la flèche du destin. »

   (Ahmedê Khanî)

2. « Je m'étonne de la destinée que Dieu a réservée aux Kurdes
   Ces Kurdes qui par le sabre ont conquis la gloire
   Comment se fait-il qu'ils ont été privés de l'empire du
   monde et subjugués par les autres ?
   Les Turcs et les Persans sont entourés de murailles kurdes
   Toutes les fois que les Arabes et les Turcs se mobilisent, ce
   sont les Kurdes qui baignent dans le sang
   Toujours désunis, en discorde, ils n'obéissent pas l'un à l'autre
   Si nous nous unissions, ce Turc, cet Arabe et ce Persan
   seraient nos serviteurs. »

   (Nikitine, 1975, p. 209)

3. Pour consulter le discours en allemand d'Angela Merkel :
https://www.bundeskanzlerin.de/Content/DE/Mitschrift/
Pressekonferenzen/2015/08/2015-08-31-pk-merkel.html

En particulier les phrases suivantes :
*« Das geschieht alles, während wir hier in sehr geordneten
Verhältnissen leben. »*
*« Die allermeisten von uns kennen den Zustand völliger
Erschöpfung auf der Flucht, verbunden mit Angst um das
eigene Leben oder das Leben der Kinder oder der Partner,
zum Glück nicht. »*

4. « La Belle Porte », référence au temple de Jérusalem, 5ᵉ Livre
du Nouveau Testament, Les Actes des Apôtres, Actes 3.
« La guérison d'un infirme au temple » : « On y portait un
homme qui était infirme depuis sa naissance – chaque jour
on l'installait à la porte du temple dite "La Belle Porte" pour
demander l'aumône à ceux qui pénétraient dans le temple. »

5. *Le Figaro* rapporte : « *"Il ne faut pas oublier que ceux qui
arrivent [...] sont les représentants d'une culture profondément
différente"*, affirme Viktor Orban dans cette tribune publiée
dans le quotidien allemand *Frankfurter Allgemeine Zeitung*
(FAZ). *"Dans leur majorité, ce ne sont pas des chrétiens mais
des musulmans. C'est une question importante, car l'Europe et
l'identité européenne ont des racines chrétiennes"*, poursuit-il.
*"N'est-ce pas déjà en soi préoccupant que la culture chrétienne
de l'Europe ne soit quasiment plus en capacité de maintenir
l'Europe dans le système de valeurs chrétiennes ? Si l'on perd cela
de vue, la pensée européenne peut se retrouver en minorité sur
son propre continent"*, estime le Premier ministre hongrois,
actuellement en déplacement à Bruxelles.
Viktor Orban a affirmé, lors d'une conférence de presse
aujourd'hui à Bruxelles, que le problème des réfugiés *"n'est
pas européen mais allemand"*. »
(http://www.lefigaro.fr/flash-actu/2015/09/03/97001-
20150903FILWWW00260-migrants-1-identite-chretienne-
menacee-selon-viktor-orban.php?pagination=2#nbcomments)

6. « Entasser des réfugiés dans des trains et les envoyer dans un endroit complètement différent du lieu où ils pensent se rendre nous rappelle le chapitre le plus sombre de l'histoire de notre continent. »
(http://www.bvoltaire.fr/nicolasdelamberterie/presidentielle-autrichienne-vers-un-mois-dhysterie,253171 et http://www.lopinion.fr/12-septembre-2015/l-autriche-accuse-hongrie-traiter-refugies-a-l-epoque-nazie-28021)

7. Jean-Claude Juncker, « Discours sur l'état de l'Union ».
(https://francais.rt.com/international/6661-discours-etat-union-europeenne-juncker)

8. Citation d'Angela Merkel : http://www.telerama.fr/jaidelesrefugies/mobilisation-pour-les-refugies-l-allemagne-releve-le-defi,131792.php

9. Massoud Barzani est le président du gouvernement régional kurde.

10. « *John Oliver gets* Days of Our Lives *actors to pay tribute to Syrian refugee* »
(https://www.theguardian.com/world/2015/sep/29/john-oliver-days-of-our-lives-syrian-refugee)

11. « **Le désarroi des migrants**
Le 10 janvier, des réfugiés ont écrit une lettre ouverte à la chancelière allemande, Angela Merkel. Ils y expriment leur horreur face aux agressions du nouvel an à Cologne et dans d'autres villes allemandes. *"Pour nous, la dignité d'un homme ou d'une femme est intouchable. Il s'agit évidemment de faire respecter la loi du pays"*, écrivent-ils.
"Nous sommes des réfugiés ayant fui la guerre, la terreur, les bombes, la répression politique et les agressions sexuelles", écrivent ces quatre hommes, dont un Pakistanais et un Syrien. *"Nous sommes très heureux d'avoir enfin trouvé la sécurité en Allemagne."* »
(https://www.euractiv.fr/section/justice-affaires-interieures/news/la-politique-d-asile-de-l-allemagne-se-contracte-apres-les-agressions-de-cologne)

12. Pour voir ces pancartes : http://www.mirror.co.uk/news/world-news/rape-refugees-not-welcome-protesters-7162503

13. Citation de Aiman Mazyek :

https://www.euractiv.fr/section/justice-affaires-interieures/news/la-politique-d-asile-de-l-allemagne-se-contracte-apres-les-agressions-de-cologne/

et

https://info.yamar.org/2016/01/12/le-conseil-central-des-musulmans-dallemagne-met-en-garde-contre-lexpansion-d-lislamophobie-dans-ce-pays/

14. Citations de Stephen O'Brien :

http://www.voltairenet.org/article192602.html

Index

Composé et édité par HarperCollins France.

Achevé d'imprimer en octobre 2016.

La Flèche
Dépôt légal : novembre 2016

Imprimé en France